액세서리
Accessories

프라우드
PRAUD

티키타카 S1

1.
환기덕트가 지배하는 건물의 입면

Accessories of Architecture

건축은 어디에서 시작해 어디에서 끝나는가. 혹은 건축가는 무엇을 설계하고, 무엇을 설계하지 않는가. 언뜻 매우 단순하고 어찌보면 바보같은 질문일 수 있지만, 다르게 보면 건축의 본질을 생각하게 하는 질문이다. 흔히들 FF&E(Fixture, Furniture, and Equipments)라고 하는 책상, 의자, 컴퓨터, 조명, 전열기 등은 건축가의 업무영역이 아니라고 한다. 물론 건축가가 가구를 디자인하고 조명 디자인을 할 수도 있겠지만, 엄연히 '건축설계' 업무에 해당되지 않는다는 말이다. 건축이 설계를 통한 공간을 구성하고, 그 안을 FF&E가 채운다면 그대로 건물이 완성되는 것일까? 아니면 그 외에 또 다른 요소들이 있을까.

건축의 본질, 혹은 건축을 어떻게 정의내리느냐 하는 질문은 시대를 거슬러 올라간다. 그리고 이는 건축의 요소(elements)에 관한 질문으로 귀결된다. 건축에서는 elements를 요소(要素)라 해석하지만, 화학에서의 elements는 원소(元素), 즉 더 이상 분리될 수 없는 물질을 의미한다. (물론 양자역학이 나오기 전의 개념이기는 하다) 학교(school)의 가장 근원, 시작이 되는 것을 'elementary school'이라 하는 것과 흡사하다. 서양건축에서 요소라는 것은 건축을 더 이상 분할할 수 없는, 다시 말하면 건축으로 정의되기 위해서 가장 기본적으로 갖고 있어야 하는 것들을 건축의 요소라고 보았다.

원시 오두막으로 해석되는 'The Primitive Hut'는 로지에(Marc-Antoine Laugier)가 건축의 가장 근본적인 요소를 설명하기 위해 사용한 이미지다. 로지에는 인류가 건축술을 선보인 가장 첫 구축물을 이 오두막으로 이해했다. 그는《건축에 관한 에세이(Essai sur l'architecture)》의 첫 챕터인 '건축의 원리'에서 건축을 5가지 요소로 분류할 수 있다고 주장한다. 기둥(Column), 엔타블러처(Entablature), 페디먼트(Pediment), 층(Different Storeys), 그리고 창문(Windows and Doors)이다.물론 서양건축에서 나온 개념이기 때문에 동양건축과는 조금 다를 수 있지만, 여기서 그 논쟁을 하고자 하는 것이 아니다. 중요한 것은 당시 새로운 시각으로 건축을 바라보려 했다는 점이다. 계몽주의 시기였던 18세기 중반에 발표된 이 글은 꽤나 영향이 컸다. 현대 과학의 시발점이 된 분석적인 시각으로, 건축 역시 원소로 분할해서 이해했던 것이다.

이는 뒤랑(J. N. L. Durand)이 그린 도식화된 표처럼 건축을 '요소들의 집합'으로 이해하는 데 지대한 영향을 끼친다. 다시 말해 건축설계란, 어떠한 평면 형태에 어떠한 기둥 스타일, 어떠한 창과 문의 유형을 조합시켜 만드는지가 문제가 되었다. 그리고 그 외의 것들은 장식(Ornament)이 되는 것이다. 이는 모더니즘의 시작으로 새로운 국면을 맞는다. 즉 구축 시스템의 등장이다. 돔-이노라는 새로운 구축방식은 그 동안 건축의 원소라고 믿고 있었던 요소들의 존립을 위태롭게 했다. 돔-이노 시스템에서 페디먼트나 엔타블러처는 무의미해졌으며 창 역시 더 이상 외벽을 뚫는 개념이 아니었다. 모더니즘 시기에는 구축의 시스템, 즉 당시의 돔-이노 시스템이 더 이상 분할될 수 없는 건축의 '원소'였고, 나머지는 건축가들이 자유롭게 다룰 수 있는 그야말로 '요소'가 되었다.

건축의 요소는 2014년 베니스 비엔날레에서 다시 한 번 부각되었다. 총감독이었던 렘 콜하스는 'Elements of Architecture'라는 전시에서 계단, 발코니, 창문, 화장실 등 15개의 건축 요소들은 그동안 어떠한 이야기를 담아 왔고 건축이 이들을 어떻게 수용해 왔는지를 보여주었다. 이들은 더 이상 건축의 원소가 아니다. 건축에 따라서 있을 수도, 없을 수도 있는 요소들이다. 결론적으로 렘 콜하스는 모더니즘의 구축 시스템이 가능케 했던 요소의 해방을 짚어내고, 오히려 이 요소들로서 새로운 템플렛을 만들어 낸 것이다. 동시에 모더니즘의 한 챕터를 마무리하는 시점에서 요소의 집합으로서 건축이 여전히 유효한가라는 질문을 이끌어내기도 했다.

하지만 이 전시에서 다룬 15개가 건축 요소의 전부일까? 그 동안 배운 건축적 상식으로는 대동소이하게 맞을 수 있다. 그리고 건축가는 15개에 국한되어 디자인해 왔을지도 모른다. 어디에 어떤 창을 내고, 평면에 어떤 크기의 화장실이 들어가고, 계단의 단면이 어찌되어야 하는지 고민하는 것은 곧 설계의 과정이고 건축가의 숙제이자 역할이었다. 그리고 건축잡지에서 흔히 보는 소위 '작품'은 이 범주에서 크게 벗어나지 않는 작업들이다. 그러나 조금만 뒤로 물러서서 도시를 이루고 있는 건축을 바라보자. 과연 우리 눈에 들어오는 것들이 위에서 말한 건축의 요소들뿐일까?

실제 도시에 존재하는 건축에서는 이들 요소 이상의 것들이 등장한다. 자신을 알리겠다고 몸부림치듯 건물에 붙어있는 간판, 외벽에 아슬아슬하게 매달린 에어컨 실외기, 일반적인 근린상가 건물도 한순간에 종교시설로 탈바꿈시키는 교회종탑 등은 건축의 요소(Elements of Architecture)가 아닌 건축적 요소(Architectural Elements)다. 우리는 이들의 임시성(Temporality)에 주목하여 이들을 건축의 액세서리(Accessories of Architecture)라고 부른다.

내부 공간에 건축가들이 직접 손대지 않는 FF&E의 요소들이 있다면, 건물 외피에는 또다른 차원의 건축가들의 손에서 벗어난 액세서리들이 있다. FF&E처럼 이들은 언제든 변할 수 있고, 한순간에 사라질 수도 있으며, 새롭게 재탄생될 수도 있다. FF&E를 건축가들이 개입하여 디자인할 수 있듯이, 이 액세서리들에도 건축가들의 의도가 개입될 수 있지만, 일반적으로 이들은 자연스런 도시의 현상으로 나타난다. 오히려 건축가들은 많은 경우 이들을 외면하고, 경계하고, 때로는 멸시한다. 하지만 건축가들의 외면 속에서도 이들은 계속해서 생존해왔으며, 건축보다 훨씬 빠른 속도로 도시의 속도에 반응하며 진화하고 있다.

이들 액세서리는 때로는 건축적 프로그램을 만들어내기도 하며, 설비적인 기능을 수행하기도 하고, 표현하는 수단이 되기도 한다. 하나의 건물은 착용하는 액세서리에 따라 공장이 될 수도, 카페가 될 수도, 또 교회가 될 수도 있다. 똑같은 근생 건물이지만 옥상에 교회종탑이 설치되면, 그 근생은 하루아침에 교회가 된다. 그러다가 교회가 나가고 고깃집이 들어서면, 종탑은 사라지고 대신 무수히 많은 덕트가 벽면을 타고 오른다.

건축의 요소는 단 하나도 바뀌지 않았지만 액세서리로 인해 새로운 프로그램을 담게 되는 것이다. 액세서리는 때때로 건물의 기능을 떠안는다. 건물이 해결하지 않는 공조를 맡아냉난방기가 설치되고 실외기가 건물 외벽을 장식한다. 입주자가 바뀌면 입주자를 따라 이주하는 임시 설치물이다. 건축가들은 이를 애써 외면하지만, 우리 도시에 엄연히 나타나는 현상이고 풍경이다.

파사드를 공공영역으로 이해하는 도시들에서는 이와 같은 풍경을 찾아보기 힘들다. 건축의 파사드가 도시의 풍경을 만들어 낸다. 하지만 건물의 외피를 사유 영역으로 생각하는 한국에서는 매우 다른 도시의 풍경으로 나타난다. 여기서 무엇이 옳고 그름을 따지려는 것은 아니다. 있는 그대로 그것이 우리가 가진 문화고 도시의 풍경이다. 건축이 도시를 만드는 것은 맞지만, 건축과 도시 사이에 우리가 그 동안 잘 주목하지 않았던 (하지만 눈에는 매우 잘 보였던) 레이어가 존재하는 것이다. 그리고 이 레이어들에 의해 도시의 풍경이 바뀌는 것뿐만 아니라 건축의 기능, 나아가서는 지역의 성격이 규정되고 변화한다.

여기서는 그 동안 건축에서 도외시했던 요소들을 다루며 이들이 만들어내는 건축의 모습, 도시의 풍경, 그리고 이들을 통한 건축의 가변성에 대해 논의해보고자 한다.

이러한 액세서리들이 프로그램을 대변한다면, 과연 건축은 어떻게 대응해야 하는가. 요구된 프로그램에 철저히 대응한 건축의 형태는 과연 내부 프로그램이 변할 때 얼마나 가변적으로 대응할 수 있을까. 액세서리는 변화에 민감하지 못한 건축을 보완해주는 역할을 하며, 빠른 시대 변화에 대응할 수 있는 건축의 요소로서 자리잡는 것인가. 액세서리가 없이 과연 도시에 변화하는 건축이라는 것이 존재는 할 수 있을까. 혹은 액세서리들을 통해 계속해서 새로운 기능과 용도의 변화가 생길 수 있다면, 건축이라는 '껍데기'가 갖는 역할과 의미는 무엇일까. 액세서리는 건축의 가장 보잘것없다고 인식되는, 그리고 종종 건축가들에게 '무시' 당하는 건축에 기생하는 요소들, 즉 가장 비건축적인 요소들을 통해 건축의 가장 근본적인 본질에 대한 질문을 한다. 건축은 어디에서 시작해서 어디에서 끝나는가?

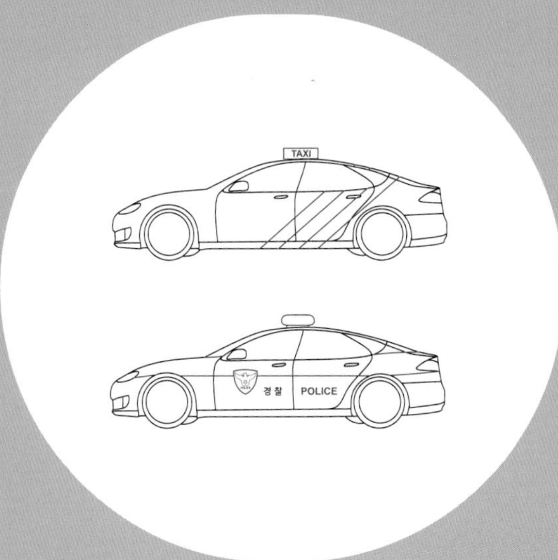

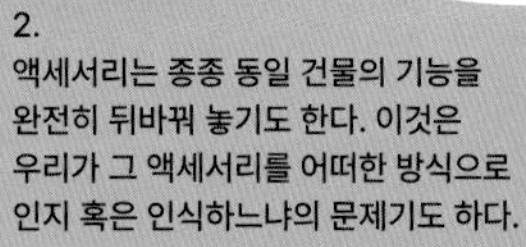
2.
액세서리는 종종 동일 건물의 기능을
완전히 뒤바꿔 놓기도 한다. 이것은
우리가 그 액세서리를 어떠한 방식으로
인지 혹은 인식하느냐의 문제기도 하다.

3.
액세서리를 이용해 물건의 외관을
커스터마이징을 하지만 물건의 기능은
그대로 우지되는 경우다.

4-5.
미스터포테이토 헤드나 바비인형은
애당초 액세서리를 통해 각자의
캐릭터를 구성할 수 있도록 한다.
건축도 이러한 것이 가능할까?
액세서리가 유형별로 건축에 자유롭게
붙었다 떨어졌다 하면서 건축의 기능과
성격을 규정할 수 있게 하는 건축은
어떤 건축일까.

Elements vs. Accessories

성수동의 유명한 카페 하나가 있다. 불과 몇 년 전만 해도 한 회사의 사무실로 사용되던 건물이다. 조금만 더 거슬러 올라가, 십여 년 전에는 공장으로 사용되었다.

철근콘크리트 구조에 벽돌로 마감된 2층짜리 건물은 여느 공장들처럼 기능에 충실하고 구조형식에 솔직했다. 사무실일 때는 외장이 덧칠해져 이전의 벽돌과 라멘구조의 모습을 볼 수 없어졌다. 카페가 되면서는 라멘구조가 다시 드러나고 벽돌벽은 전창 유리로 대체되었다.

이 건물은 기둥, 보라는 변하지 않는 건축의 요소와 창문의 변경 가능한 건축 요소의 조합으로 새로운 기능들에 반응해왔다. 순수히 건축의 요소로만 이루어진 건물에 새로운 액세서리가 장착되면 그 모습은 어떠할까? 카페 대신 교회와 고깃집, 편의점, 공장, 창고, 원룸 주거가 함께 들어간 건물이 되면 어떤 모습일지 상상해본다.

6.
작은 경공업 공장으로 사용되던 당시 모습(2010년).

7.
얼마 전까지도 한 회사의 업무 시설로 사용되었다 (2014년).

8-9.
카페로 용도변경 된 모습. 요즘에도 여러 팝업 행사들을 유치하면서 계속해서 새로운 입면을 드러내는 성수동의 힙플이다. 지금은 카페지만, 여러 액세서리들을 통해 새로운 용도를 수용할 수 있는 가능성을 지닌 건물이기도 하다.

Nose of an Elephant

교회는 무엇을 통해 교회로서 인지되는가. 우리가 코끼리를 코끼리로 인지하도록 하는 그 요소가 건축에도 존재한다. 때로는 이 직설적인 표현이 우리를 당황스럽게 하지만, 이것은 도시에서 하나의 코드다.

아이가 처음 동물을 인지하는 때가 있다. 대부분 실물보다 그림으로 먼저 배운다. 무엇이 말이고, 무엇이 사자고, 무엇이 코끼리인지. 아이는 무엇을 보고 코끼리를 코끼리라고 인지할까. 거꾸로, 그림을 그리는 사람 입장에서는 어떤 요소를 빼놓지 않고 그려야 그림을 보는 아이가 코끼리라고 인지할 수 있게할까. 아마도 코끼리의 경우는 코와 귀가 중요할 것이다. 사자의 경우엔 숫사자의 갈기일 것이다. 이 포인트들만 잘 인식되도록 하면, 코끼리의 꼬리에 사자꼬리를 그려놔도 아이는 코끼리로 인지할 것이고, 사자 눈에 코끼리의 눈을 그려놔도 아이는 사자로 인지할 것이다.

오랜 세월 많은 문화권에서 종탑은 교회건축의 상징이 되었다. 교회의 종탑은 마치 코끼리의 코와 같은 존재가 된 것이다. 더 이상 종탑에는 종이 없다. 종탑이라는 형상만 남고, 본래 기능은 사라졌다. 대신 하나의 종탑만 있으면, 어떠한 건물도 교회로 탈바꿈 할 수 있다. 매우 강력한 건축의 액세서리인 것이다.

크루즈 형태의 호텔처럼 기호화된 형태의 건축은 종종 건축가들의 조롱거리가 된다. 하지만 직설과 은유의 경계는 어디인가. 기도하는 손의 형태를 모사한 교회와 이를 은유적으로 표현한 교회의 차이는 무엇인가.

주유소 같은 건물의 유형이 반복으로서 건물의 형태는 기호화된다. 법규에 의해 반복되는 필로티가 있는 근생 건물은 어떤가. 건축가들은 부정하려 하지만 도시에서는 이미 기호하던 건축 형태로 존재한다.

10-11.
7세 아이의 코끼리와 사자 그림. 코끼리는 코가 잘 드러나도록 옆모습을 그리고, 사자는 갈기가 잘 드러나도록 앞모습을 그린 것이 인상적이다.

12.
때때로 교회의 종탑은 그 스스로 존재하고, 그것이 의미하는 바가 명확하여 건축에 의존할 필요가 없게 된다.

13.
주유소의 건축 유형은 누구나 쉽게 직관적으로 이해할 수 있는 하나의 기호로 존재한다.

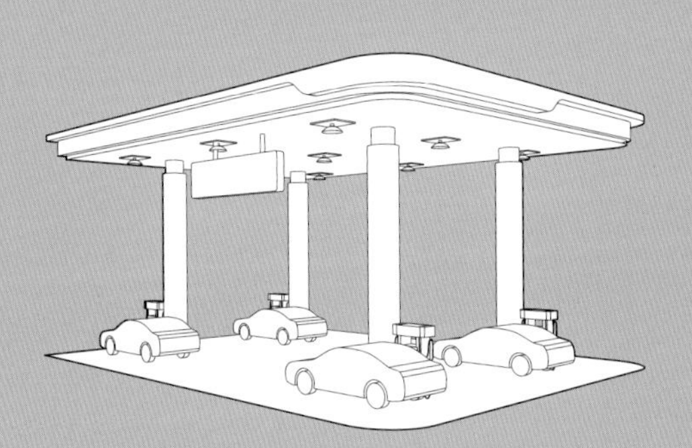

Semiotics vs. Decorated Shed

로버트 벤투리와 데니스 스콧 브라운은 《라스베이거스의 교훈(Learning from Las Vegas)》에서 오리 형태의 건물과 단순히 박스형의 건물을 비교하면서 건물이 우리에게 정보를 전달하는 방식의 차이, 혹은 우리가 건물을 인지하는 방식의 차이를 설명한다. 간단히 말해 오리고기를 파는 오리 형태의 건물에 있는 식당이냐, 그냥 멀리서 봐서는 아무런 차이를 모르겠지만, 가까이서 보니 오리고기 간판이 쓰여있는 오리요리 식당이어야 하는 차이다. (물론 '오리(The Big Duck)'는 오리고기 식당이 아니고 1930년대 오리와 오리알을 판매하던 곳이다) 기호는 형태 스스로 정보를 전달해 줄 수 있는 것이고, '장식된 헛간(Decorated Shed)'은 오히려 덧입혀진 요소가 정보를 전달해 준다. 건축 형태는 아무런 정보를 주지 않는다.

교회의 종탑은 어찌 보면 기호학(Semiotics)적인 의미에 가깝게 보인다. 부착의 방식은 '헛간(Shed)'에 덧입혀진 '장식(Decoration)'과 같지만, 어떠한 내용 없이도 그 형태적 특징 스스로가 기능을 말하고 있다는 사실은 오히려 '기호'에 가까워 보인다. 이는 '오리'와는 달리 반복에 의한 유형의 고착화라고 볼 수 있다.

사실 주유소도 기호화된 건축으로 인식된다. 지극히 기능적인 요소들로 디자인되어 누구나 어느 문화권에서도 쉽게 인지할 수 있다. 비를 막아주면서 멀리서도 인지 가능하도록 약 2층 높이(6m~7m)에 형성된 캐노피는 하나의 건축 기호다.

반면 복잡한 도시 속에서 자신을 드러내겠다고 아우성치고 있는 간판은 우리에게 너무나도 익숙한 '장식된 헛간', 즉 꾸며진 껍데기를 가능케 하는 액세서리다. 오리 형태의 건물에서 보쌈을 팔기는 어색하지만 '장식된 헛간'에서는 언제든 오리고기를 팔다 망하면 곱창집을 할 수도 있다는 이야기다. 결국 어떠한 방식이 빠르게 변하는 도시에 더 유연하게 대응하느냐 하는 문제다.

14-15.
로버트 벤투리와 데니스 스콧 브라운이 설명하는 '장식된 헛간'과 '기호'의 차이

From a Shed to an Architecture

깡통의 건물이 건축이 되는 경우는 다름 아닌 깡통에 부착되는 액세서리를 통해서다. 도시 변화가 빠른 한국에서는 필요한 기능에 따라 액세서리를 붙였다, 떼었다 할 수 있는 것은 하나의 미덕과도 같다.

도시에는 의외로 깡통건물이 많다. 어떤 건축가들은 그것의 의미 없음, 혹은 미학적 가치가 없음에 분노할지는 모르지만, 사실 깡통건물들은 도시를 활력 있게 하고, 빠른 도시 변화에 즉각 대응한다. 성수동의 수많은 공장들이 이러한 깡통건물들이다. 대단위 단지에 형성되는 공장건물과는 달리 도시 스케일과 조직에 그대로 순응한다.

하지만 이 깡통건물에 무수히 많은 액세서리들이 붙으면 준공업지역의 건물 유형으로 탈바꿈한다. 끊임없이 기계가 돌아가기에 전기가 안정적으로 공급되도록 인쇄소의 옥상에는 발전기가 설치되고, 1층에 있어야 할 로딩덕은 2, 3층에서 생겨난다. 수없이 크고작은 램프와 리프트, 캐노피 등이 덧입혀져 깡통건물을 성수동의 공장으로 변화시킨다. 또한 도시의 모습을 만들어낸다.

언뜻 기괴한 액세서리들이 덕지덕지 붙어있는 건물은 프랑켄슈타인처럼 보이지만, 액세서리는 철저히 기능에 충실한 장치이며 그 이상 혹은 그 이하의 것도 아니다. 액세서리가 없으면 그야말로 깡통건물일 뿐이다. 건축이 해결해 줄 수 없는 부분을 액세서리들이 채우고 있는 셈이다.

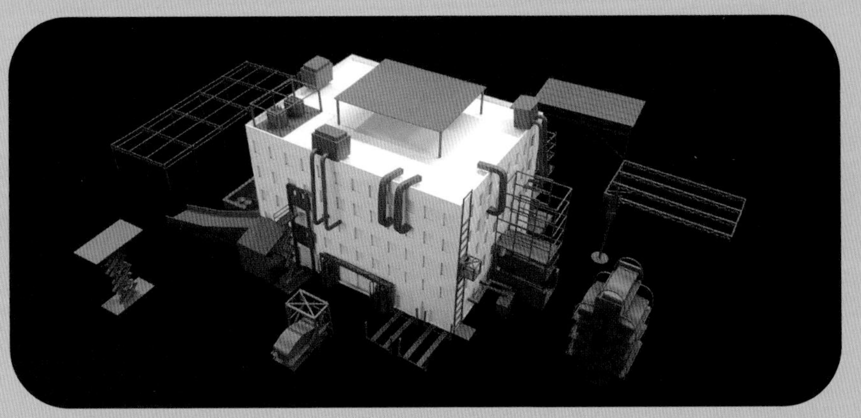

16.
액세서리는 깡통에 자유롭게 붙었다, 떨어졌다하며 새로운 용도를 지정해준다.

17.
액세서리는 자유롭게 붙었다
떨어졌다하며 깡통에 새로운 용도를
지정해준다.

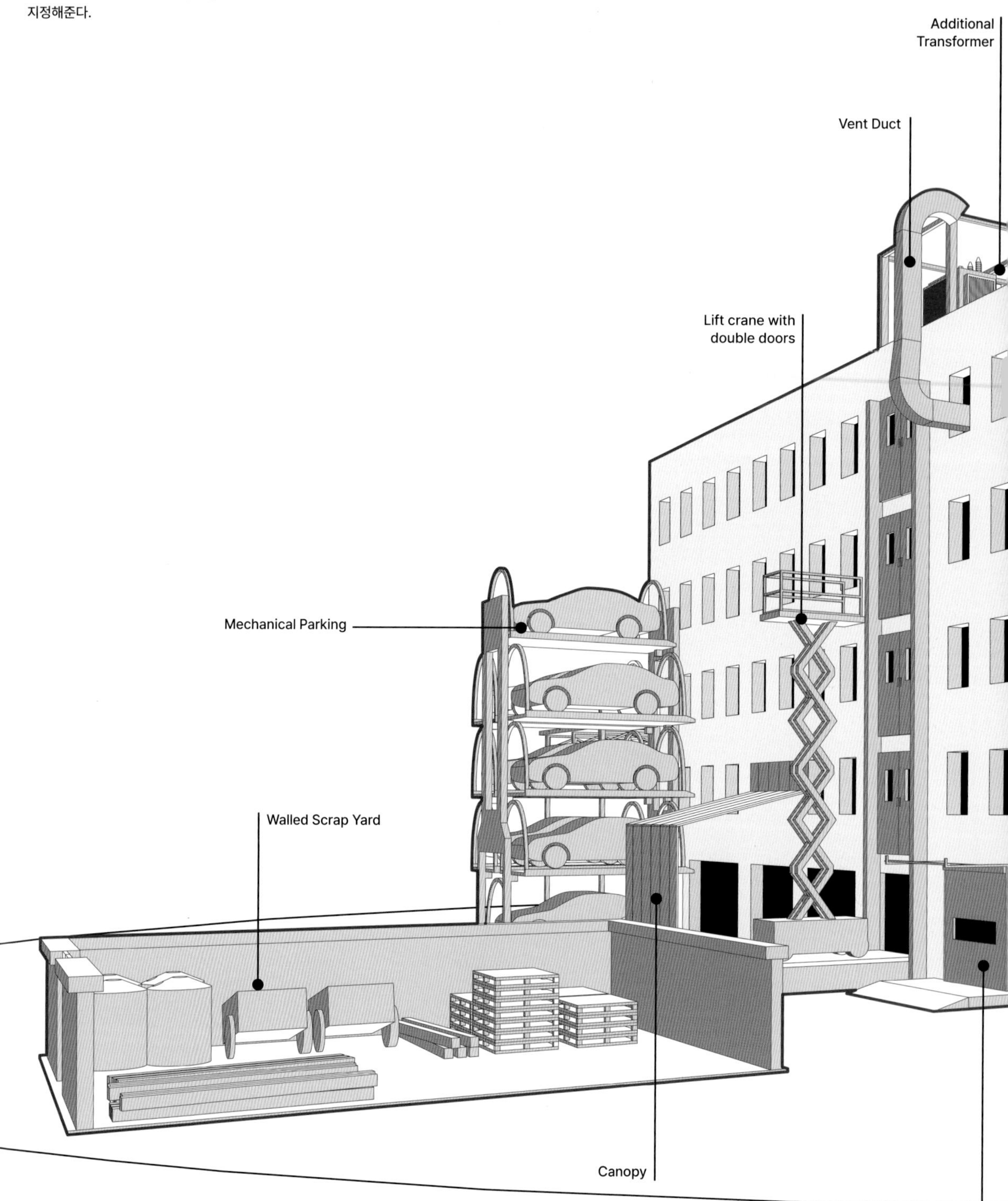

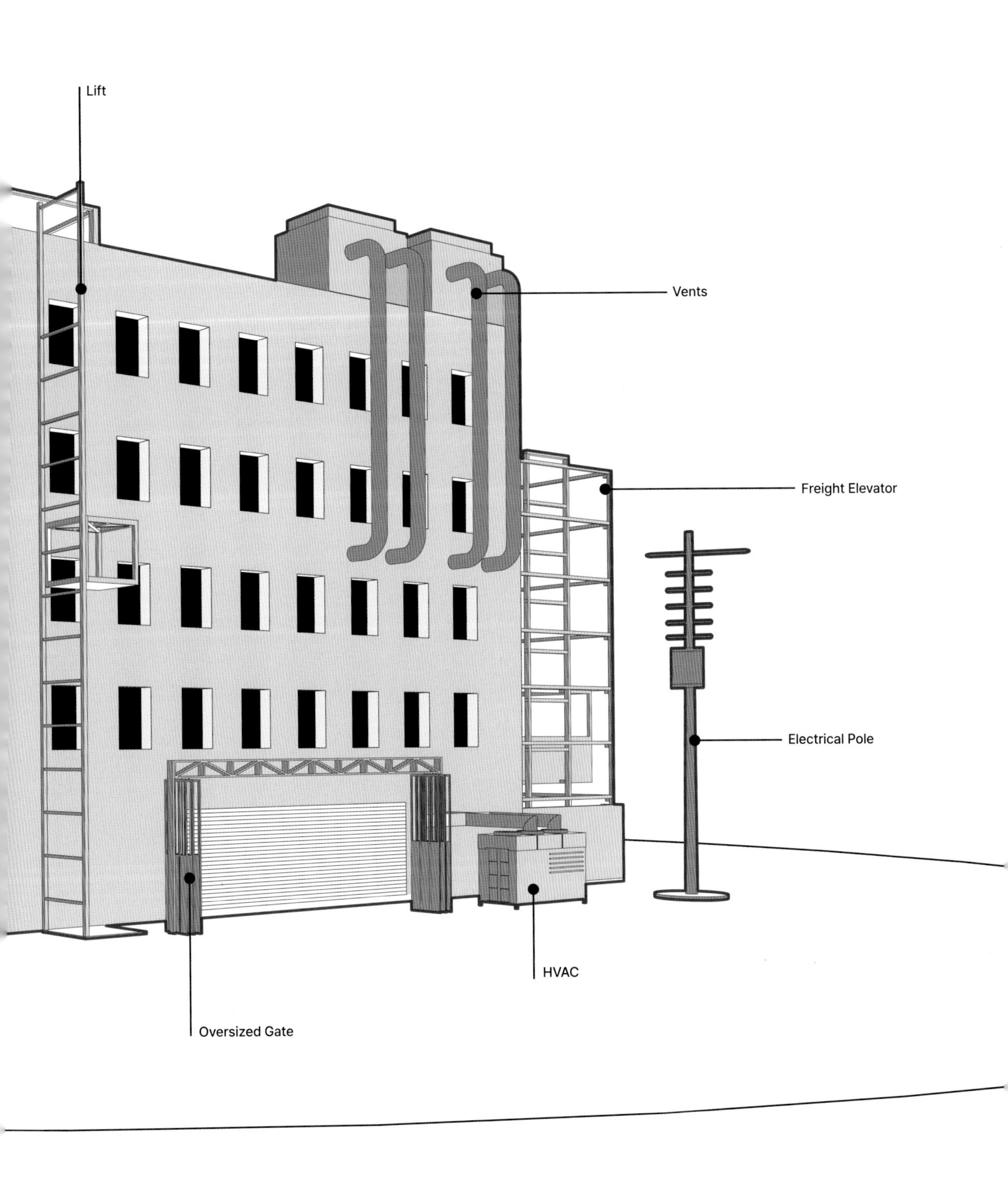
Lift
Vents
Freight Elevator
Electrical Pole
HVAC
Oversized Gate

Accessories —

1. Odd Elements
2. Temporary Becomes Permanent
3. Flexible Canopy
4. Defining Program
5. Architectural Machine vs. Mechanized Architecture
6. Parasite vs. Symbiosis

7. Attachable/ Detachable
8. Portable
9. Smart Accessories
10. Cultural Language I
11. Cultural Language II
12. Masquerade
13. Signified + Signifier
14. Addendum

24. Loose Accessories for a Tight Urbanity [Seoul]

25. Accessories as Exhibition Platform

26. Mobile Accessories

1. Odd Elements

건축의 요소는 매우 다양하지만 그 사용 용도가 어느 정도 규정된다. 예를 들어, 창은 자연광을 받아들이면서 환기를 수행한다든지, 발코니는 2층 이상의 높이에서 외부 공간을 느낄 수 있게 한다든지, 각 요소가 갖는 특징들이 있다. 물론 해체주의자들은 구조 역할을 하지 않는 기둥, 올라 설 수 없는 발코니 등을 만들어 내기도 했지만, 일반적으로는 매우 기능에 충실하게 나타난다. 하지만 기능에 대한 충실함은 매우 새로운 요소, 혹은 액세서리들을 만들어 내기도 한다.

2, 3층에 있는 공장까지 화물을 실어나르기 위해 건축가들이 로딩덕과 화물 엘리베이터를 어떻게 욱여넣을지 고민할 때, 공장 사장님들은 외벽에 폴딩 도어나 슬라이딩 도어를 달아 탑차를 설치해 버린다. 1층 카페에나 설치될 법한 요소들을 완전히 새롭게 해석하는 것이다.

18-19.
허용으로 나가는 문을 누군가의 실수하고 오해하기 십상이다. 지상의 탑차를 통한 장면을 본다면 금방 이해되는 입면이다.

20.
상부 로딩덕이 가능해지면서 공장은 수직으로 쌓아올려질 수 있게 되었다. 엘리베이터의 발명으로 고층건물이 가능해진 것 정도의 혁명이다.

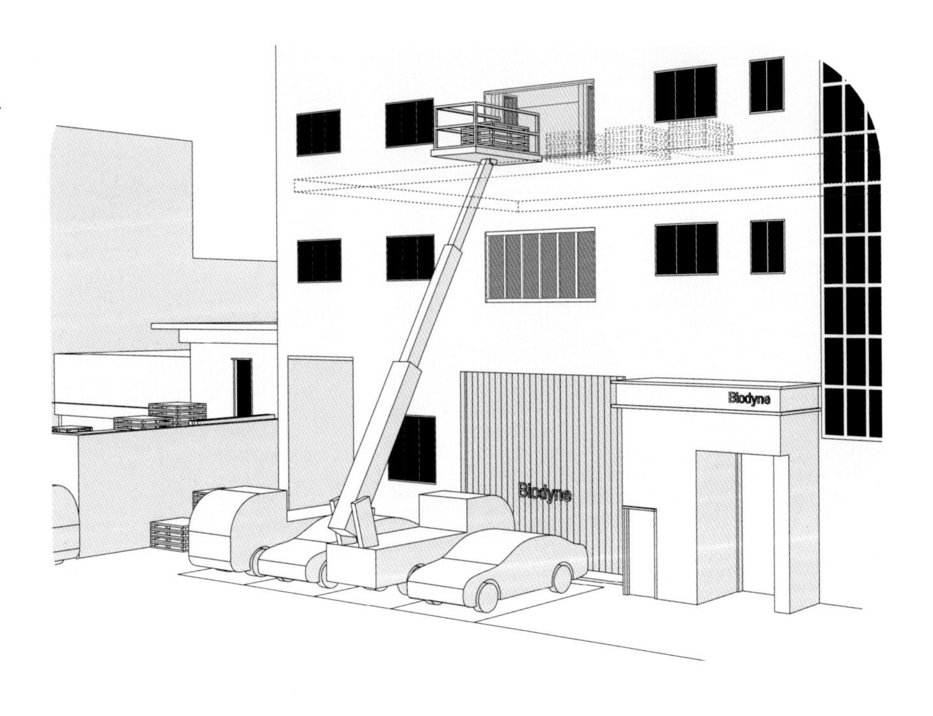

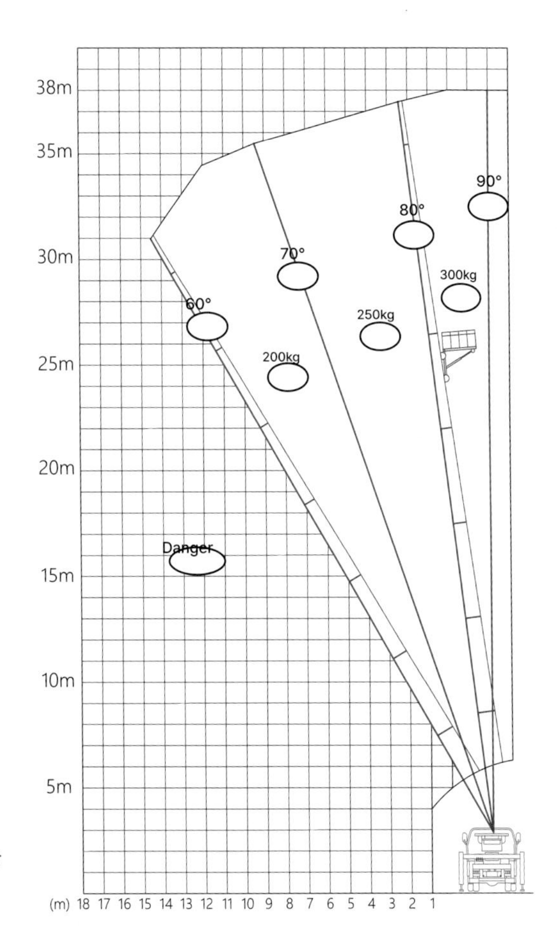

21.
상층에 형성된 로딩덕은 탑차의 재원과 밀접하게 연관되어있다. 건축적으로야 곤돌라를 설치하는 것이 불가능하지는 않겠지만, 어디서나 손쉽게 부를 수 있는 탑차는 그야말로 입체적 로딩층이 가능토록 해 주었다. 매우 흥미로운 지점은 매우 비건축적인 탑차를 통해야만 가능한 이 희한한 로딩의 기능이 건축허가를 통과할 수 있다는 점이다.

2. Temporary Becomes Permanent

요즘엔 알 없는 안경도 있는 걸 보면, 안경이 패션의 일환으로 자리잡은 것 같다. 사실 시력이 안 좋아서 안경을 끼는 사람들에게도 안경은 매우 중요한 액세서리다. 안경을 착용하는 모든 사람이 그렇겠지만, 처음부터 안경을 하루종일 끼고 있는 사람은 드물다. 대부분 먼 것을 봐야 할 때 잠깐 끼고 마는, 꼈다 벗었다 하는 그러한 액세서리다.

근시 교정용 안경은 (시력 교정 수술을 하지 않는 한) 잘 때 빼놓고는 항상 착용하고 있는 얼굴의 일부다. 안경이 곧 눈인 것이다. 시작은 임시적이었으나, 시간이 흐르며 영구적인 것이 되어 간다. 임시성은 액세서리의 가장 큰 특징 중 하나다.

한국에서는 '가설', 즉 임시로 설치한다는 의미 하나로 많은 것이 가능해진다. 시간이 흐르며 안경이 생활에 필수불가결한 요소로 자리매김하듯, 종종 이 가설 건축물, 가설 구조물들은 임시적으로 설치되었지만, 건축 구조물 만큼이나 영속성을 갖고 존재하기도 한다.

22.
안경 끼는 이들에게 안경은 액세서리 그 이상의 의미가 있다.
사진출처 : Depositphotos.com

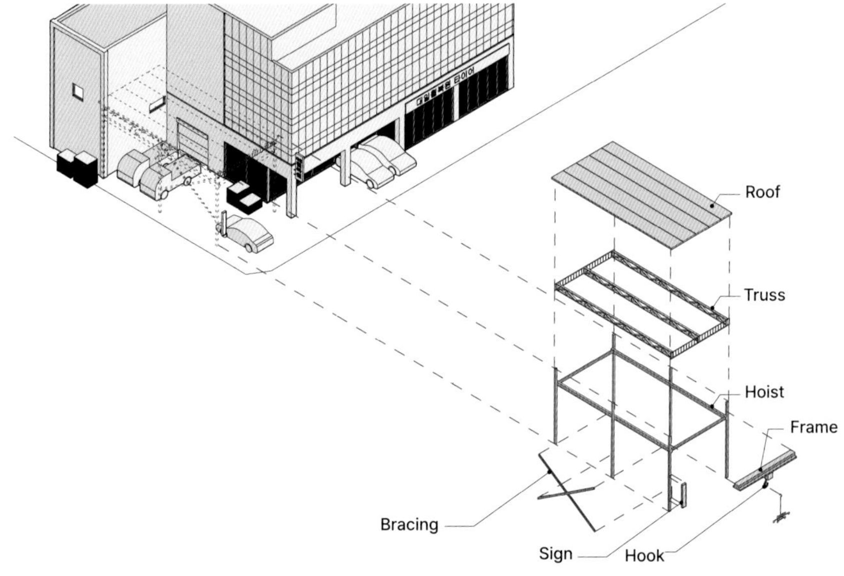

23.
법적으로는 가설 구조물이지만 실제 사용에서는 '영구' 구조물로 기능할 수 있다. 건물이 제 기능을 다할 수 있도록 하는 필수불가결한 요소다.

3. Flexible Canopy

지게차가 건물 내부로 들어가야 할 때, 통과높이를 어떻게 맞출까? 매번 높이를 재는 것도 상당한 고역이다. 문틀 상단부에 상당히 강력한 범퍼를 달아볼까. 결국 반복이 되다보면 범퍼가 손상되던 화물이 손상될 뿐이다. 건축가가 책상에서 이 문제를 어떻게 풀지 고민할 때, 사장님은 이상한 캐노피 하나를 문위에 달아버렸다. 화물이 문 높이보다 높지 않은지 확인을 쉽게 할 수 있으면서도, 혹시나 높았을 경우에도 건물이나 화물에 전혀 손상이 가지 않는 새로운 캐노피다. 캐노피에 얹혀진 PVC파이프는 화물이 부딪히더라도 화물에 손상을 가하지 않으면서도 떨어져도 어떠한 피해를 입히지 않을 수 있는 가벼운 재료다.

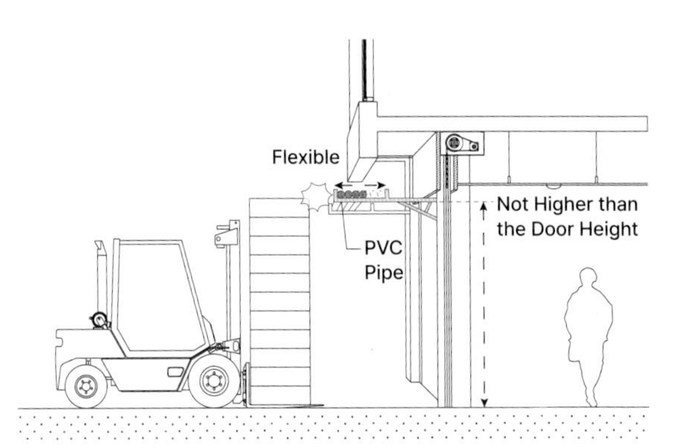

24-25.
지나가다 요상하게 생긴 이 캐노피의 기능이 무엇인지 물어보니 오히려 사장님이 당황해한다. 인쇄소에서는 너무나도 당연한 액세서리기 때문이다.

26.
압구정동 한일관 전경

4. Defining Program

1930년대 종로에서 개점해 80여 년의 역사를 자랑하는 이 음식점은 종로 피맛골이 개발되면서 2008년 압구정으로 본점을 이전했다. 새로 지은 이 건물은 언뜻 보면 유럽의 한 도시에서 볼 법한 느낌이 든다. 돌이 아닌 철근콘크리트 건물이지만 1, 2층을 한 층처럼 보이게 하는 높은 아치, 간간이 보이는 창의 페디먼트, 건물 상단부에 장식된 코니스 등, 이 어떠한 것도 힌트를 주지 않는다. 한일관이라 쓰인 유일한 간판은 이 음식점의 자부심을 보여주기도 하면서, 고깃집이라는 인상을 심어주지 않는다.

건물의 이면으로 돌아가면 이야기가 달라진다. 건물 외벽을 빼곡히 채우고 있는 이 덕트들은 이 건물이 고깃집일 수밖에 없음을 너무나도 명백히 드러내고 있다. 중국집도, 일식집도 아닌 고기를 구워 먹는 곳일 수 밖에 없음이 이 입면을 통해 드러난다. (덕트의 배열은 아름답기까지 하다) 한일관이 먼 훗날 한 회사의 사옥이 된다면 이 덕트들은 사라지겠지만, 적어도 지금은 이 건물의 용도가 정확히 무엇인지 정의 내리는 액세서리다.

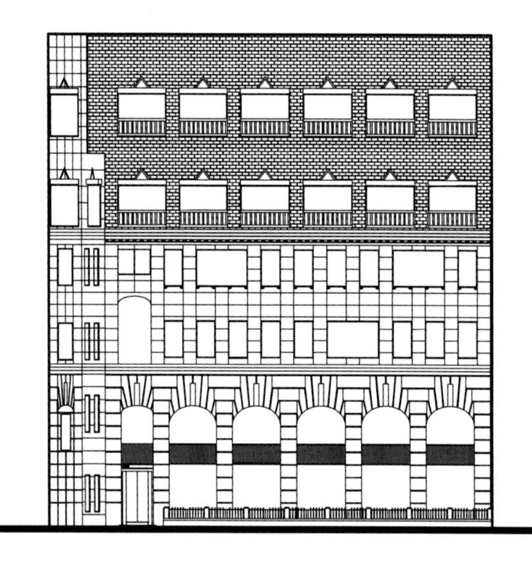

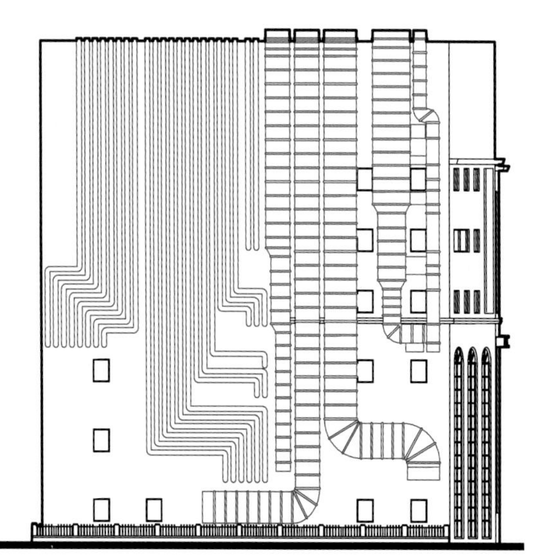

27-28.
극단적 차이를 보이는 한 건물의 두 입면 어느것이 대표하는 입면일까. 혹은 이 둘은 공생관계인 것일까.

29.
처음부터 음식점으로 신축되었는데 환기덕트를 모두 외부로 노출시킨 것이 인상적이다. 언제든지 임대인을 들일 수 있다는 얘기이기도 하다.

5. Architectural Machine vs. Mechanized Architecture

르 코르뷔지에는 건축을 기계에 비유했다. 한 사람이 사는 공간은 필요한 기능과 면적 등을 치밀하게 분석해서 효율적으로 구성되어야 한다는 말이다. 건축을 당시 산업화 시대의 정밀하고 효율적인 기계에 비유한 것이지, 건축 자체가 기계가 된다는 말은 아니었다.

그로부터 반세기가 지나 아키그램은 기계처럼 작동하는 건축을 이야기했다. 실제 움직이고, 플러그인, 플러그아웃되기도 한다. 달에 사람을 보내고 있는 마당에 이 정도 건축을 꿈꾸지 않는 것이 오히려 이상한 시대이긴 했다. 물론 우리가 현재 보는 건축을 기계라고 부르기에는 건축과 기계의 간극이 너무 크다. 하지만 건축과 기계는 언제나 융합될 수 있는 접점이 있다. 수평의 주차장이 수직의 주차타워로 바뀔 수 있는 것은 곤돌라 리프트가 건축에 새로운 공간을 제공해주고, 승강기식 기계주차 설비는 움직이는 창고공간을 제공하기 때문이다.

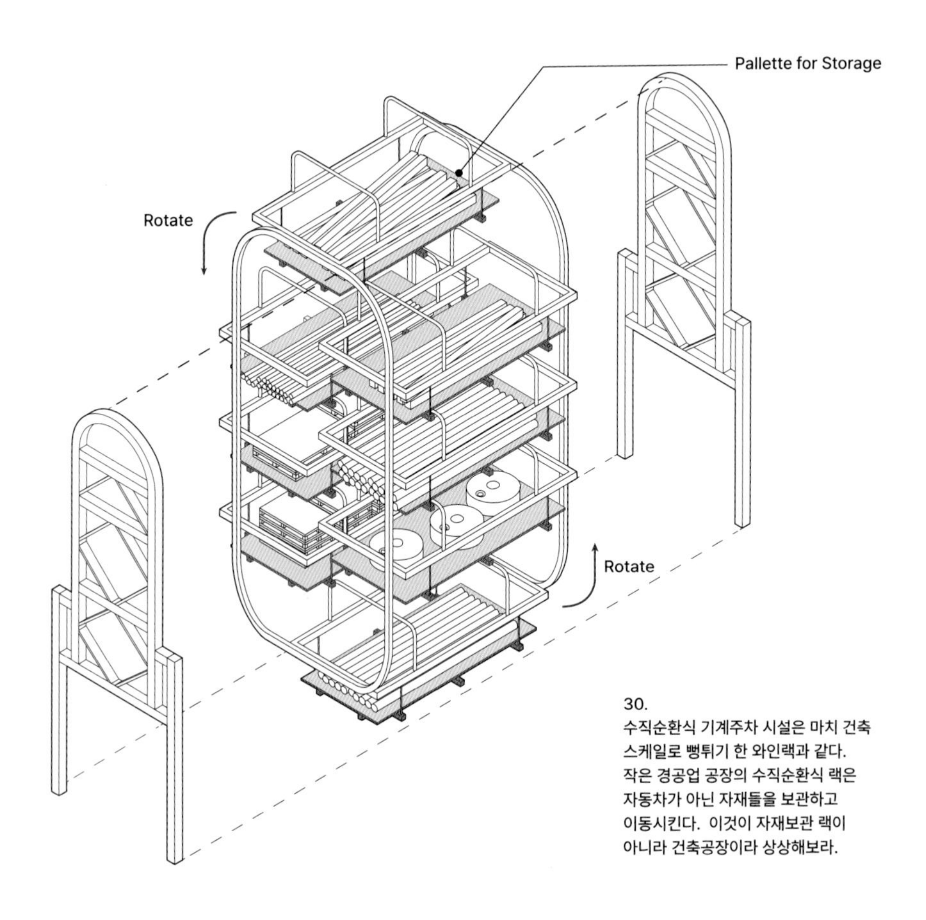

30.
수직순환식 기계주차 시설은 마치 건축 스케일로 뻥튀기 한 와인랙과 같다. 작은 경공업 공장의 수직순환식 랙은 자동차가 아닌 자재들을 보관하고 이동시킨다. 이것이 자재보관 랙이 아니라 건축공장이라 상상해보라.

31-33.
물건을 나르기위해 설치된 이 곤돌라식
리프트는 대부분 2층 사무실의 창고 '
공간'으로 활용되고 있다. 액세서리가
하나의 공간을 제공한 셈이다.

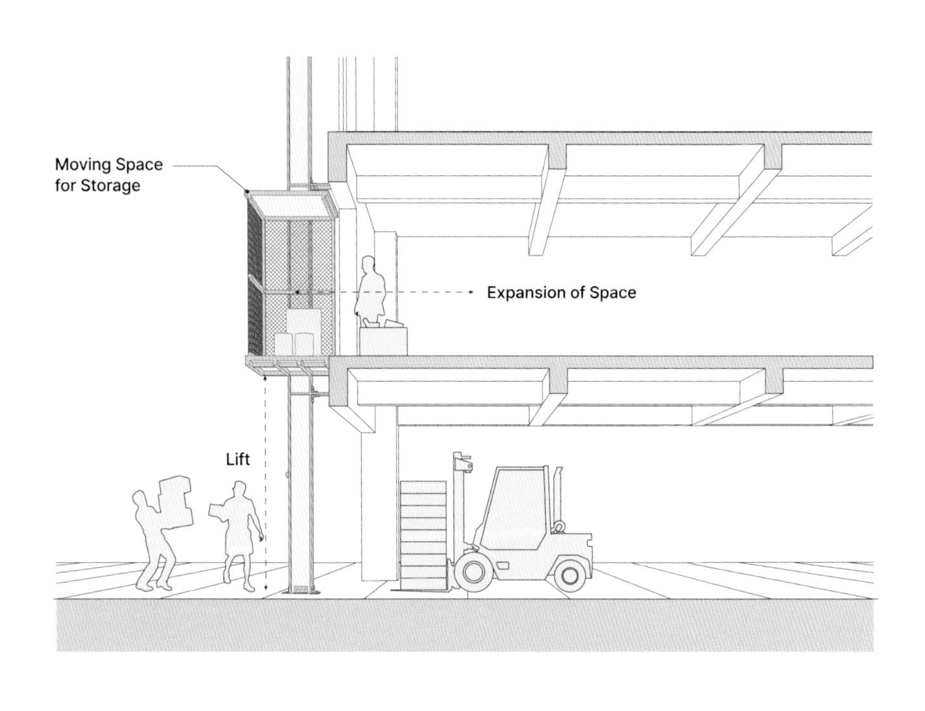

34-35.
미적으로 아름다워보이진 않지만,
기계식주차 시스템은 건축이 해결하지
못하는 기능을 충실히 수행한다. 건축의
영역이 아닌 부분의 건축인 것이다.

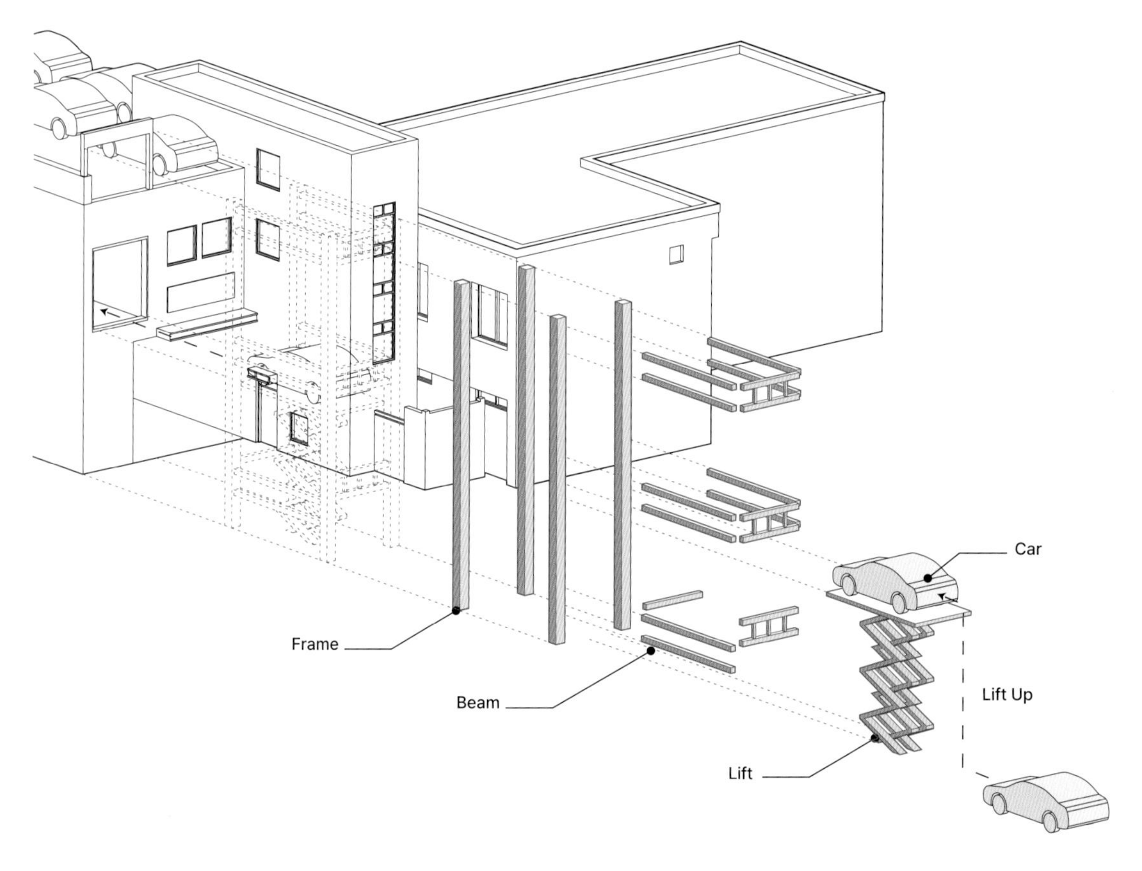

6. Parasite vs. Symbiosis

기계와 건축은 불가분의 관계다. 엘레베이터라는 기계의 발달로 인하여 초고층 빌딩이 가능했듯, 에스컬레이터 덕분에 쇼핑몰이 더 발달할 수 있었던 것이다.

헌데 건축에서의 기계가 비단 사람만을 위해 존재하지는 않는다. 작게는 음식을 나르는 덤웨이터 부터 크게는 자동차나 지게차를 나르는 리프트가 건물 안팎에 존재한다. 얼핏 매우 미래적 상상 같지만, 이미 기계적 장치들은 건축과 새로운 관계를 형성하고 있다. 가끔은 건축에 기생하기도 하고, 건축과 공생하기도 한다. 머지 않은 미래에는 로봇을 위한 리프트가 등장할 지도 모른다. (리프트의 형태가 아닐 수도 있겠다) 택배상자가 산타할아버지의 선물마냥 내 거실까지 배달되는 것이 대단한 기술과 상상력을 필요로 할 것 같지는 않다.

36.
사람을 위한 엘리베이터처럼 자동차나 지게차를 위한 엘레베이터는 건축 프로그램의 입체화에 일조한다.

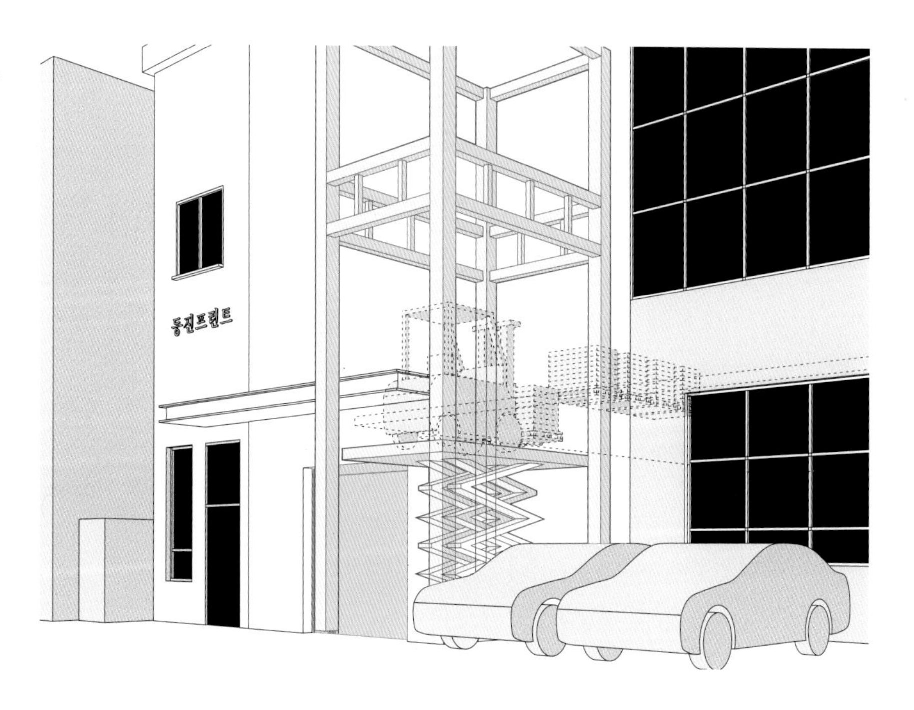

7. Attachable/Detachable

액세서리의 기본 속성은 장착과 탈착의 자유로움일 것 같다. 기둥이나 계단을 건물에서 마음대로 뺄 수 없는 것과는 달리, 액세서리는 기능과 시간, 그리고 유행에 따라 탈·장착이 가능하다.

간판은 가장 자주 바뀌는 액세서리 중의 하나일 것이다. 가게의 주인이 바뀔 때 마다 바뀌며, 유행에 따라 바뀐다.

방범창은 세입자가 살 때는 존재하지 않다가, 집주인이 들어와 살면서 갑자기 생기기도 한다. 자유로운 탈착을 통해 건물은 계속해서 새로운 모습을 보여준다. 그것이 '건축적 아름다움'은 아닐지언정, 도시를 계속 변화시키는 건축의 이미지다.

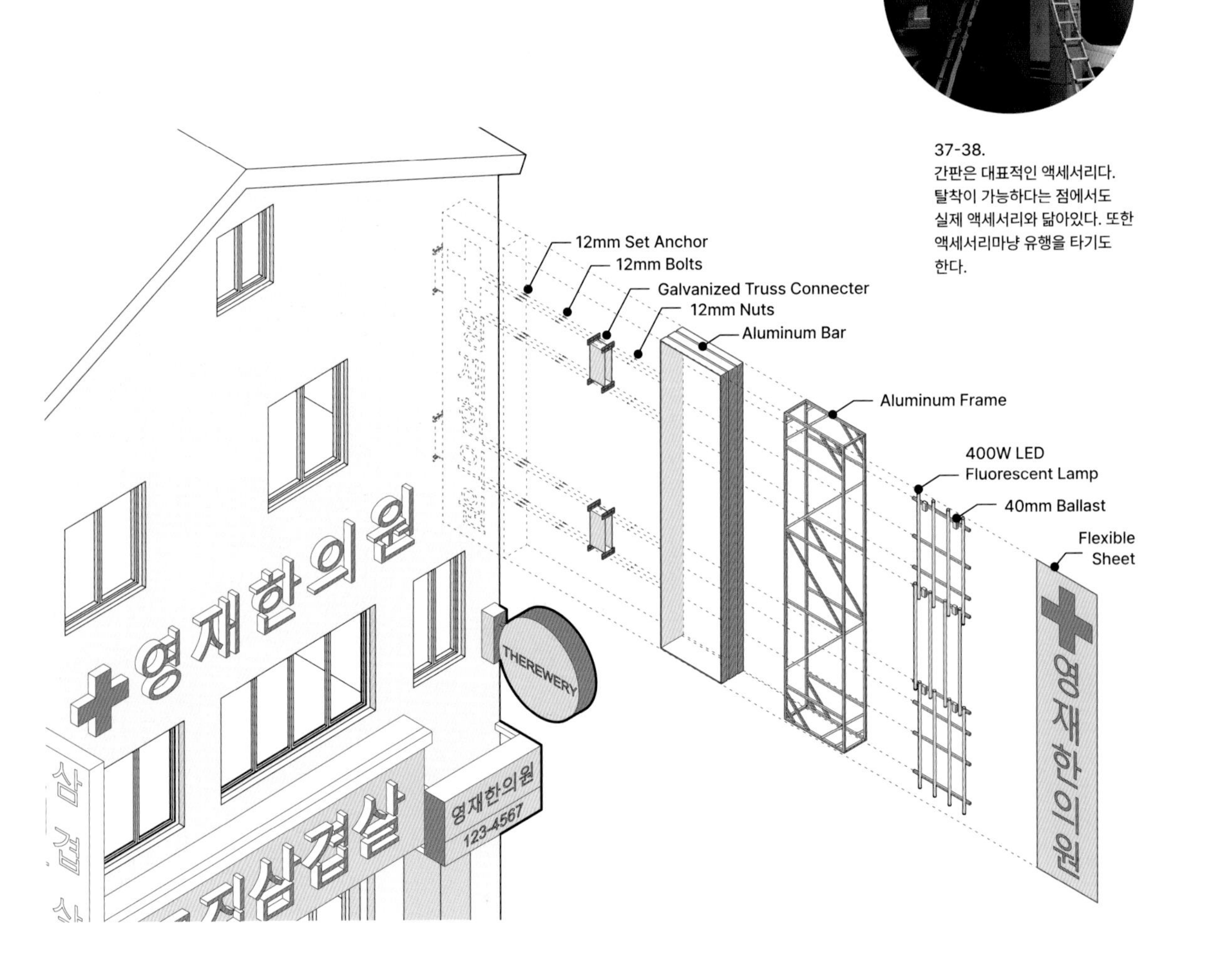

37-38.
간판은 대표적인 액세서리다. 탈착이 가능하다는 점에서도 실제 액세서리와 닮아있다. 또한 액세서리마냥 유행을 타기도 한다.

8. Portable

간판은 탈착이 매우 용이하지만 거의 1회용에 가깝다. 가게가 이전한다고 해서 오래된 간판을 떼다가 다시 다는 경우는 드물다.

하지만 에어컨 실외기처럼 주인을 따라다니는 액세서리도 있다. 실외기라 하면 마치 건물의 공조설비지만, 한국의 현실에서는 냉난방기가 세입자들의 소유물이자 책임이다. 때문에 회사가 이전할 때에도 냉난방기와 실외기를 떼어다가 새로운 곳에 설치하는 경우가 흔하다. 설치비도 만만치 않은데 말이다.

지금은 많이 사라졌지만, 건물의 옥상이나 발코니에 난립하던 위성안테나 역시 집주인을 따라 이동하는 액세서리였다. 인터넷 TV로 더이상 위성안테나 접시를 보기는 어렵지만, 이동가능한 액세서리는 계속해서 나오고 있다. 태양열 전지판는 마치 공유 액세서리 같은 느낌이랄까. 건물을 사람에 비유한다면, 오늘은 이 사람의 귀에 걸렸다가, 내일은 다른 사람의 귀에 걸릴 수 있는 것이다.

39-40.
마치 건축의 일부여야 마땅할 것 같은 실외기의 주인은 건물이 아니라 세입자다.

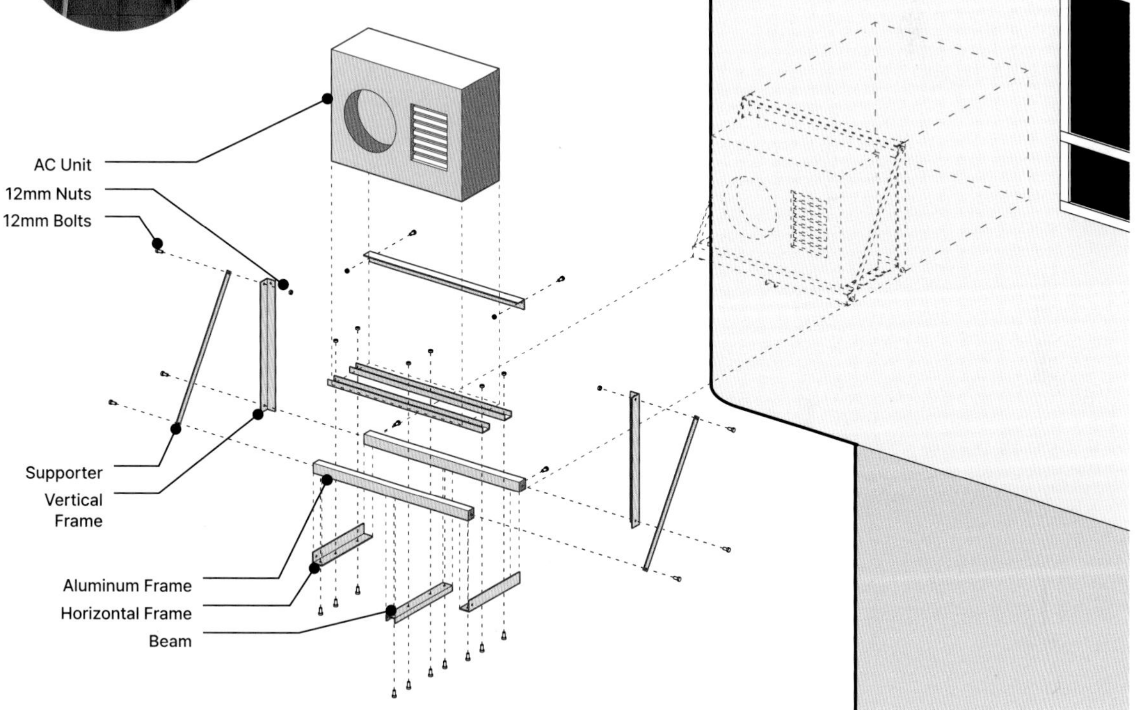

9. Smart Accessories

날이 갈수록 건축이 똑똑해지고 있다. 사실 적확하게는, 날로 발전하는 전기·통신 기술을 건축이 잘 수용하고 있는 것이다. 전화선 하나만 있으면 되었던 것이, 케이블 선이 필요하게 되었고, 이제는 이 모두를 인터넷 선이 대체하는 세상이 되었다. 그리고 새롭게 등장하는 기술과 시스템을 어떻게 잘 숨기고 융합시키는지가 중요해졌다.

한편, 그대로 드러날 수 밖에 없는 스마트 기술들도 있다. 자동차에 전.후방 카메라가 센서들과 함께 아주 잘 내장되어있는 것과 달리, 아직도 건물에서는 별도의 CCTV 가 부착된다.

폭발적으로 늘어나는 휴대전화 사용자 수는 더 많은 통신사 기지국과 중계기를 필요로 한다. 자 자동차에는 안테나가 점차 자동차 디자인의 일부였다가, 완전히 숨어 보이지 않게 되었다. 반면 건물 옥상에 설치된 수많은 중계기가 여전히 보인다. 이들은 건물에 덧입혀진 액세서리로 우리 도시에 존재한다.

41.
자동차는 날이 갈수록 여러 장치들이 필요하지만, 이들은 자동차 디자인에 잘 녹아있다. 때로는 디자인의 일부로, 때로는 하나의 포인트로, 또 때로는 보이지 않게 자동차 전체의 디자인과 결합되어있다.

42.
위성 안테나나 라디오 안테나는 지금은 많이 사라졌지만, 정보통신 및 보안, 센서 등과 관련된 액세서리와 함께 여전히 건물에 '부착'되어 있다. 자동차의 액세서리와 달리 이들은 건물의 디자인요소로 '융합'되지는 못하고 있다.

43.
새로운 기술은 계속해서 새로운
액세서리를 건물에 덧입힌다.

10. Cultural Language I

액세서리는 문화나 전통의 요소를 표현하기 위해 사용되기도 한다. 전국 도시를 유랑하다보면 유독 한식집, 복어집, 장어집 등 매우 한국적인 음식을 파는 식당에서 전통적인 기와를 통해 음식점의 특성을 드러내는 경우를 많이 본다. 이들 음식과 전통 건축의 기와가 어떠한 큰 의미를 갖는지는 모르겠지만, 전통의 요소를 쉽사리 발견할 수 없는 현대 도시에서는 이러한 문화적 혹은 전통적 언어의 액세서리가 그 풍경을 대신한다. 단순한 플렉스 간판보다 훨씬 많은 시간과 돈이 들어가는 이 액세서리를 통해 음식점 주인이 주고자 했던 인상은 무엇이었을까.

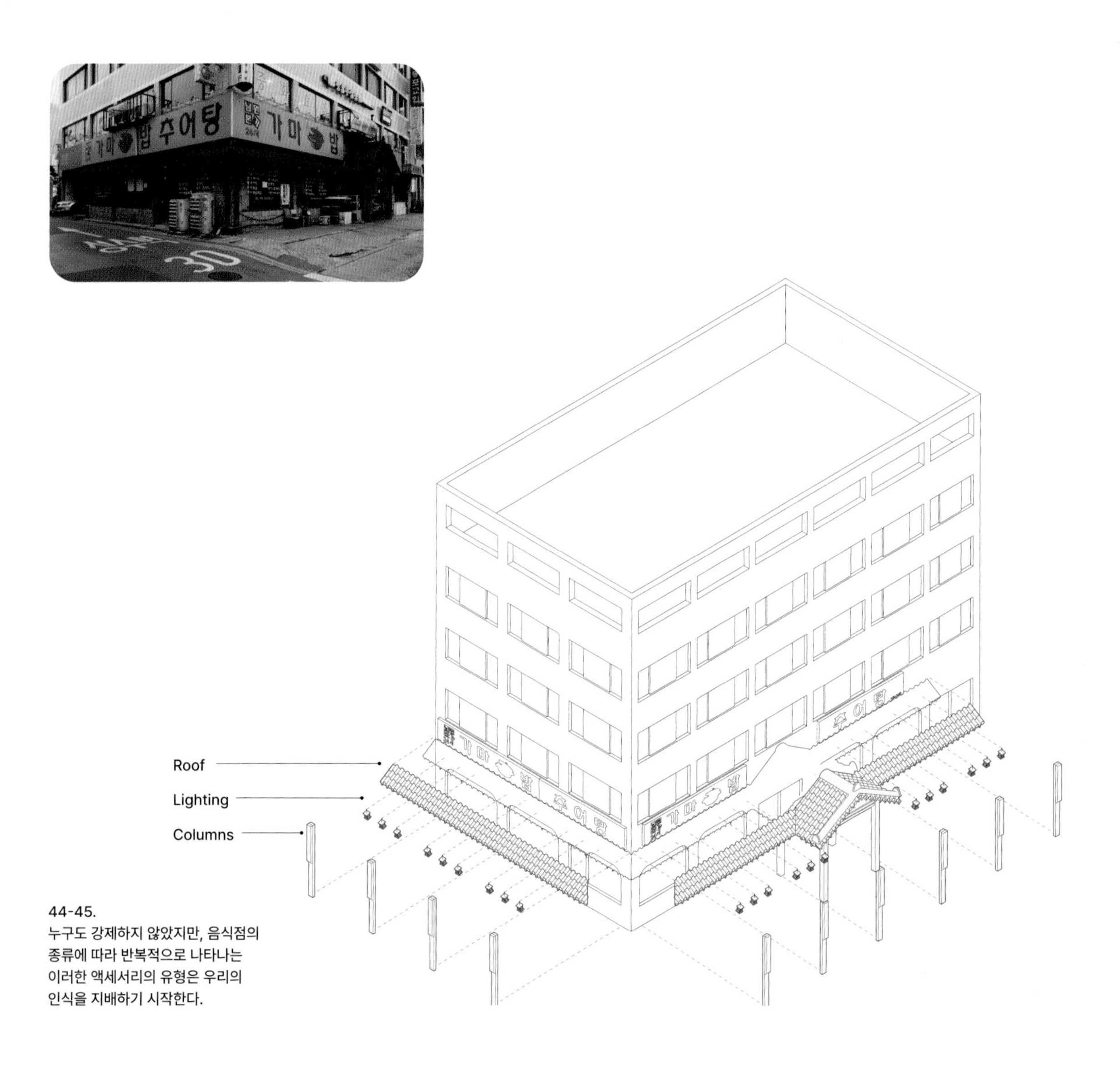

44-45.
누구도 강제하지 않았지만, 음식점의 종류에 따라 반복적으로 나타나는 이러한 액세서리의 유형은 우리의 인식을 지배하기 시작한다.

11. Cultural Language II

액세서리가 한국의 전통적 혹은 문화적 언어를 차용하는 데만 사용되는 것은 아니다. 때로는 이국적 풍경을 만들기 위해 액세서리만 차용해 오기도 한다.

빨간 벽돌 건물에 붙어있는 철제의 외부 계단은 뉴욕의 풍경을 상징하는 건축적 요소 중 하나다. 뉴욕 대화재 이후 피난계단설치의 필요성 때문에 설치한 fire escape stair, 즉 화재대비 계단이다. 법규가 다시 바뀌어 이제는 이러한 방식의 계단이 피난계단 역할을 못하기 때문에, 1960년대말부터는 더 이상 설치되지 않는다. 결국 이 계단은 특정 시기 뉴욕의 분위기를 자아내는 요소로 자리 잡았다.

이러한 분위기를 빌려오고 싶었는지, 실제 피난계단이 아니면서도 비슷하게 액세서리의 형식으로 갖고 온 사례도 있다. 이곳이 곰탕을 파는 식당이라면 모르겠지만, 베이글과 샌드위치를 판다고 하니, 어딘지 모르게 적절히 사용된 액세서리일 것 같다.

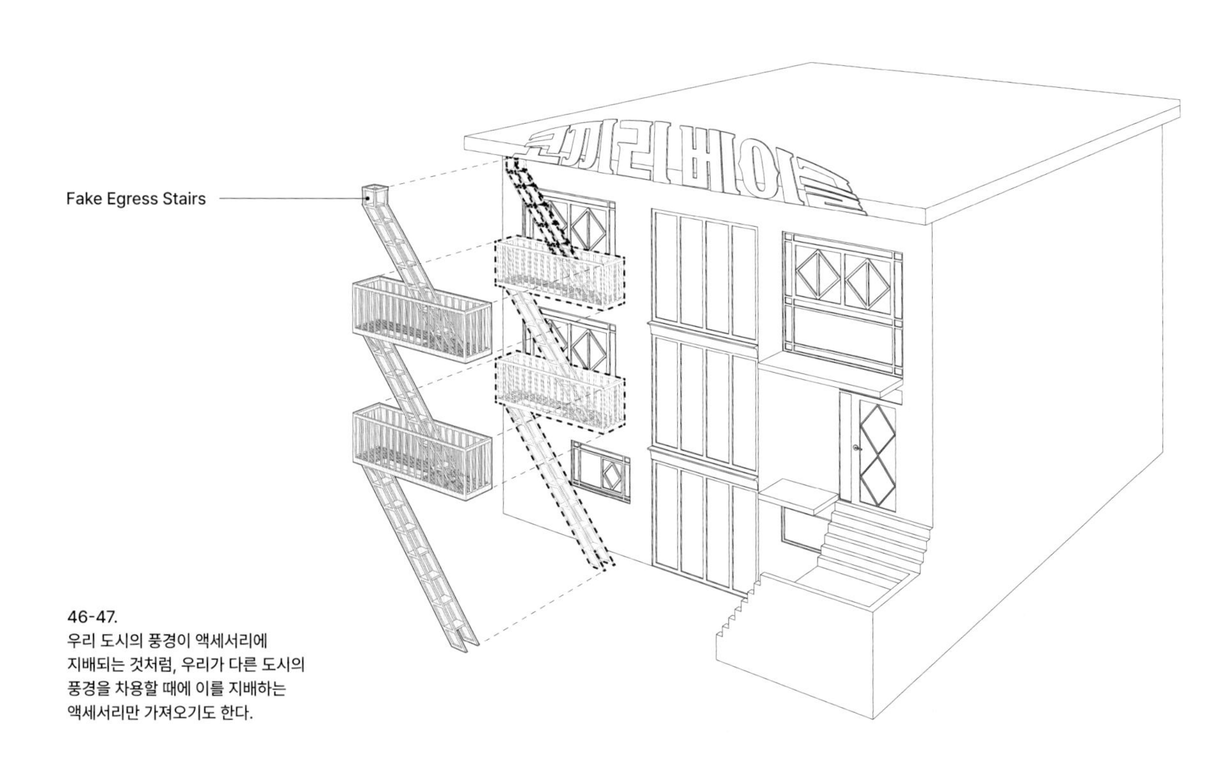

46-47.
우리 도시의 풍경이 액세서리에 지배되는 것처럼, 우리가 다른 도시의 풍경을 차용할 때에 이를 지배하는 액세서리만 가져오기도 한다.

12. Masquerade

가면은 아마 가장 궁극의 액세서리가 아닐까 싶다. 우리의 얼굴 표정과 모습을 완전히 숨긴채 새로이 만들어진 얼굴을 보여주니까 말이다. 중국의 유명한 가면술이라고 하는 변검(變臉)이 '변신하는 얼굴'이라는 뜻을 가졌을 터이다. 얼굴을 가리는 가면을 넘어 새로운 얼굴이 되는 것이다.

건축에도 가면이 있다. 건물 입면에 붙는 크고작은 액세서리들은 건물의 새로운 가면이다. 업계에서 부르는 플렉스 간판은 단연 최고다. 건물에 부착된 정도가 아니라, 아예 건물을 뒤덮어 실제 얼굴을 볼 수 없게 만들곤 한다. 이들이 가면이라면, 변검도 있다. 이것이 진짜 얼굴인지 가짜 얼굴인지 구분이 안갈 정도다. 갈바 간판은 아예 건물 입면 위를 뒤덮어 새로운 파사드를 만든다.. 대부분 저층부 상업시설의 존재감을 드러내기 위해 취하는 방식인데, 이는 실제 얼굴은 그대로지만 역할과 분위기에 따라 계속해서 변하는 변검과 매우 흡사하다.

48-49.
마치 웨스 앤더슨의 영화에 나올 법한 명동의 '스타일 난다 핑크호텔'은 원래 건물의 입면으로 디장인된 것 같은 착각을 일으킨다. 실제로는 수시로 바뀌는 가면에 지나지 않는다. 건물전체를 뒤덮은 플렉스 간판과 무엇이 다를가.

건축의 입면을 공공의 영역으로 볼지, 사유의
영역으로 볼지는 문화-사회적 그리고 법적 조건에
따라 달라진다.

입면 변경이 비교적 까다로운 유럽이나 북미권
도시와는 다르게 한국에서는 수월하게 일어난다.
한국의 도시에서 건축의 입면은 건물의 개성을
표출하는 바탕이 된다.

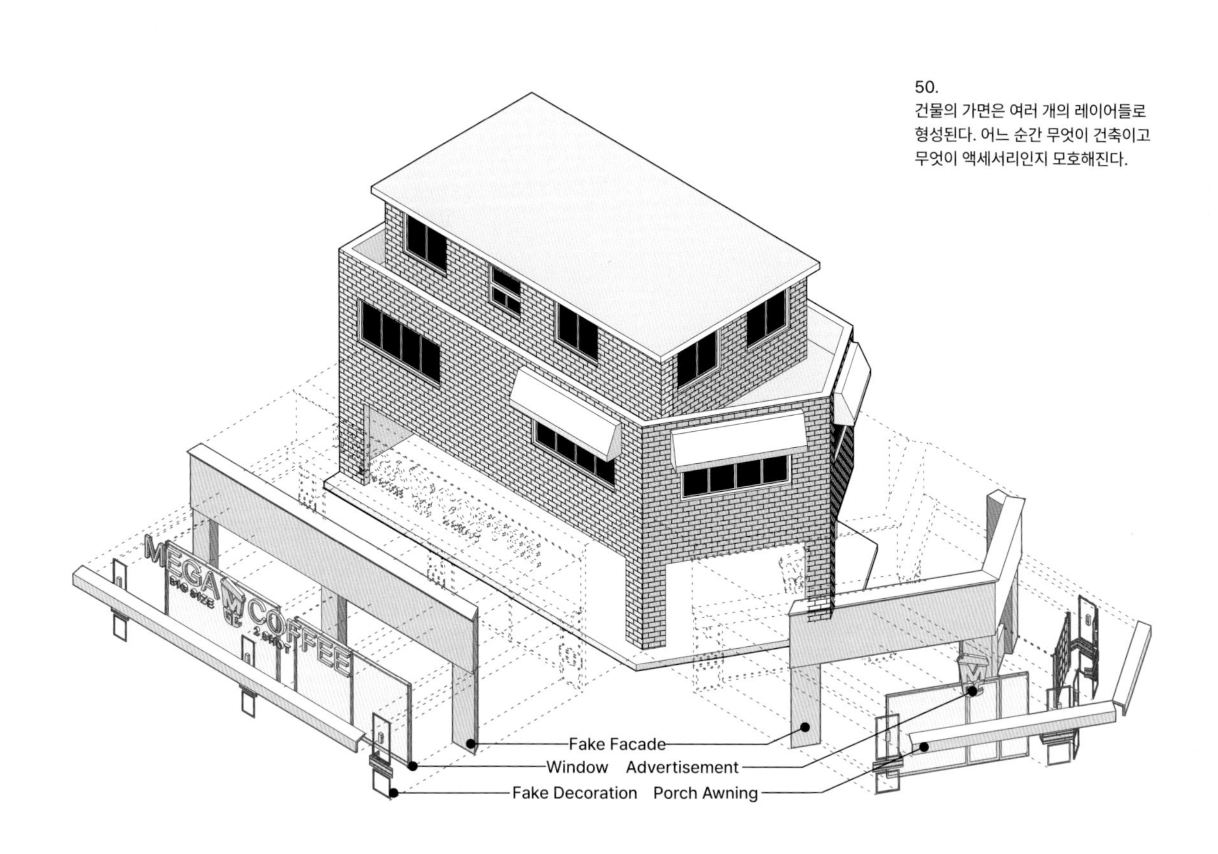

50.
건물의 가면은 여러 개의 레이어들로
형성된다. 어느 순간 무엇이 건축이고
무엇이 액세서리인지 모호해진다.

'갈바 파사드'라 불리는 작업은 실제 법규의 사각지대에 있다. 기존 입면에 덧입히기 때문에 대수선도 아니고 또 그렇다고 옥외 광고물로 인식되지도 않는다. 지극히 건축적인 용어인 파사드가 현장에서 오히려 더 본질적인 질문을 던진다.

51.
갈바파사드는 갈바 철판으로 건물에 새로운 입면을 덧입히는 작업이다.

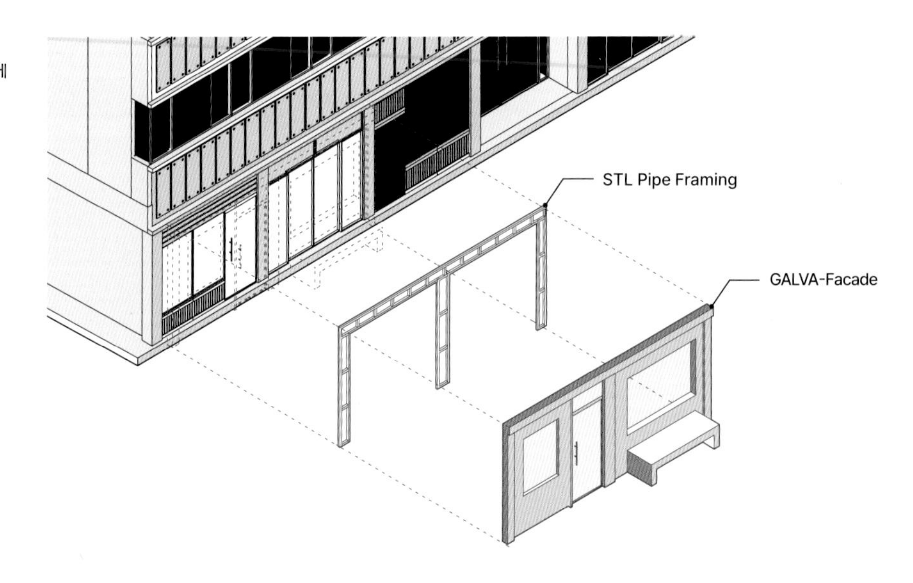

52-53.
기존의 양철 슬라이딩 도어가 사라지고, 갈바파사드가 건물의 외관을 새롭게 형성한다.

이 애매한 영역의 파사드는 손쉽게 거리의 경관을 바꾸곤 한다. 개성있는 가로의 풍경을 만들기 위해 특정 건축 재료나 가로입면 디자인을 제안하는데, 오히려 갈바 파사드를 활용해보는 것이 어떨까.

54.
파사드를 넘어 건물의 매싱을 새롭게
구성해주는 갈바파사드

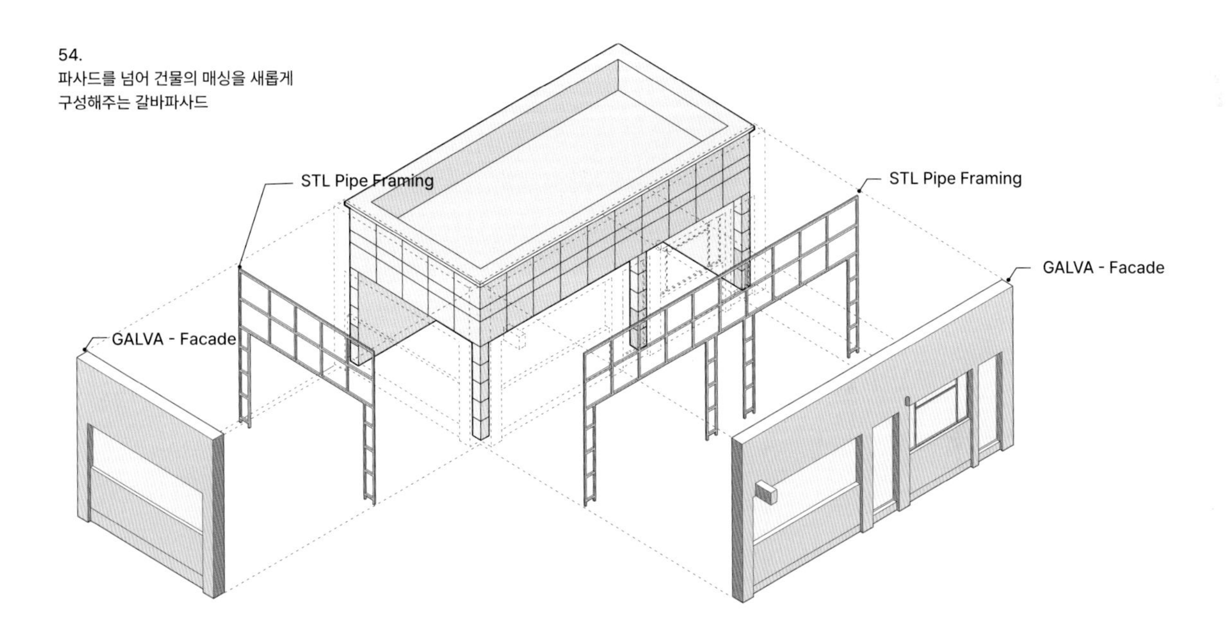

55-56.
영구성은 애시당초 고려하지 않기 때문에 오히려 갈바파사드가 가질 수 있는
즉흥성이라고 하는 것이 존재한다.

13. Signified + Signifier

도시에서 접하는 수많은 간판(기호)은 대부분 기표(Signifier)와 기의(Signified)의 조합이다. 기표와 기의가 무엇이든 간판의 주된 목적은 '인지'하게 함일 것. 그래서 여러 색깔과 크기, 독창적인 디자인과 폰트 등을 써서 주목받기를 원한다.

하지만 기호가 무수히 중첩되었을 때, 과연 그 목적은 남아있을까? 모두 다 무채색 옷을 입었을때, 혼자 노란색 옷을 입으면 독자적으로 인식될 수 있겠지만, 모든 사람이 형형색색의 옷을 입었을 때 과연 노란색 옷이라는 기호는 무슨 의미를 가질 수 있을까?

여기서 재미난 지점은 각각 기호으로서의 의미는 퇴색되었을지는 모르지만, 전체로서 인지될 수 있다는 점이다. 즉 수많은 간판들 속에서 각각의 기호를 찾기란 쉽지 않지만, 이들은 군집을 이루며 우리에게 하나의 이미지를 심어준다. 그리고 그 군집 자체가 우리 도시의 기표다.

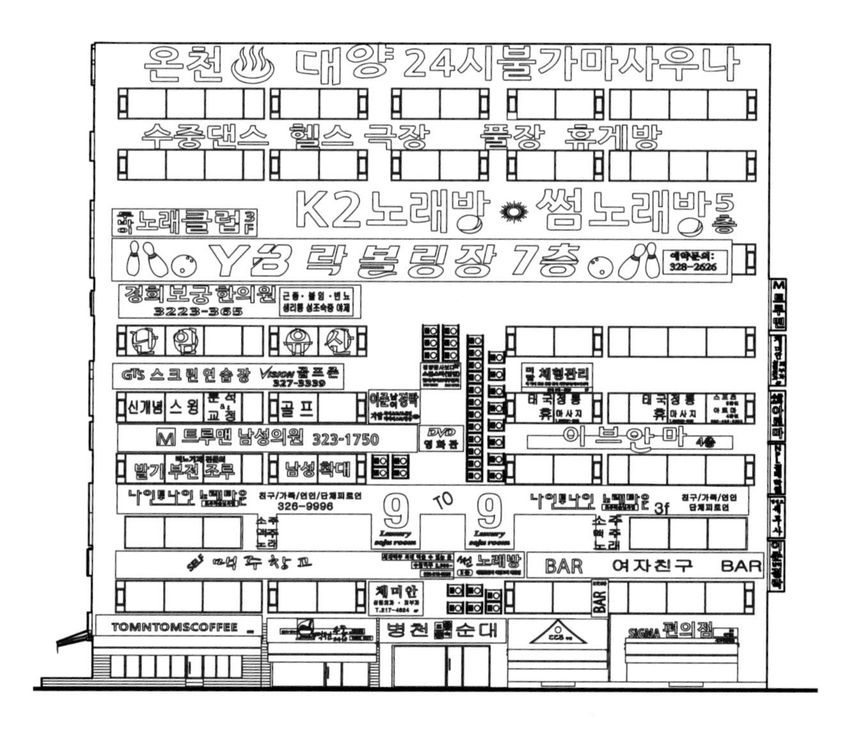

57-58.
건축의 입면은 간판을 달기 위한 바탕으로 존재하는 것은 아닐까 싶은 입면

옥외광고물 등의 관리와
옥외광고산업 진흥에 관한
법률 시행령 1장 3조에 의하면,
옥외광고물은 벽면이용간판
(판류형), 돌출간판, 공연간판,
옥상간판, 지주이용 간판, 입간판,
현수막, 애드벌룬, 벽보, 전단 등이
있다.

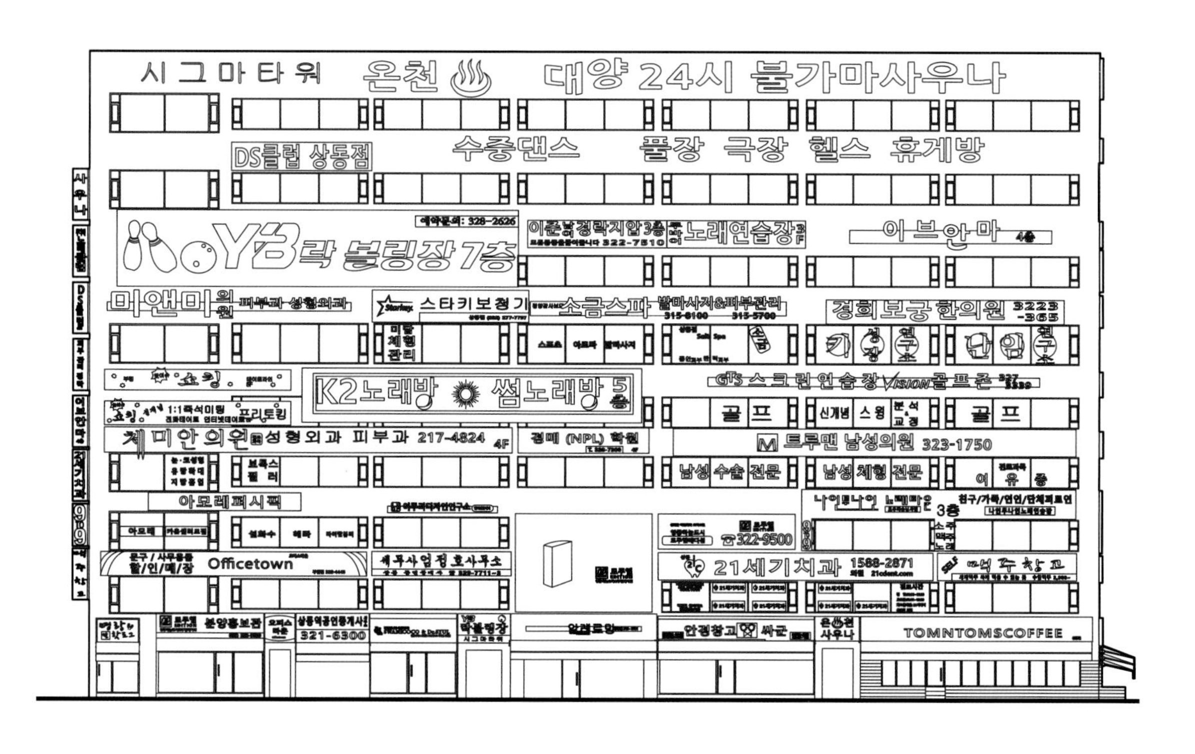

대부분의 경우 간판 개수는 해당 지자체의 가이드라인을 따른다. 그러나 현수막, 창문, 시트간판 등 개수에 포함되지 않는 간판들은 계속해서 법과 가이드라인을 피해나가며 상가의 입면을 구성한다.

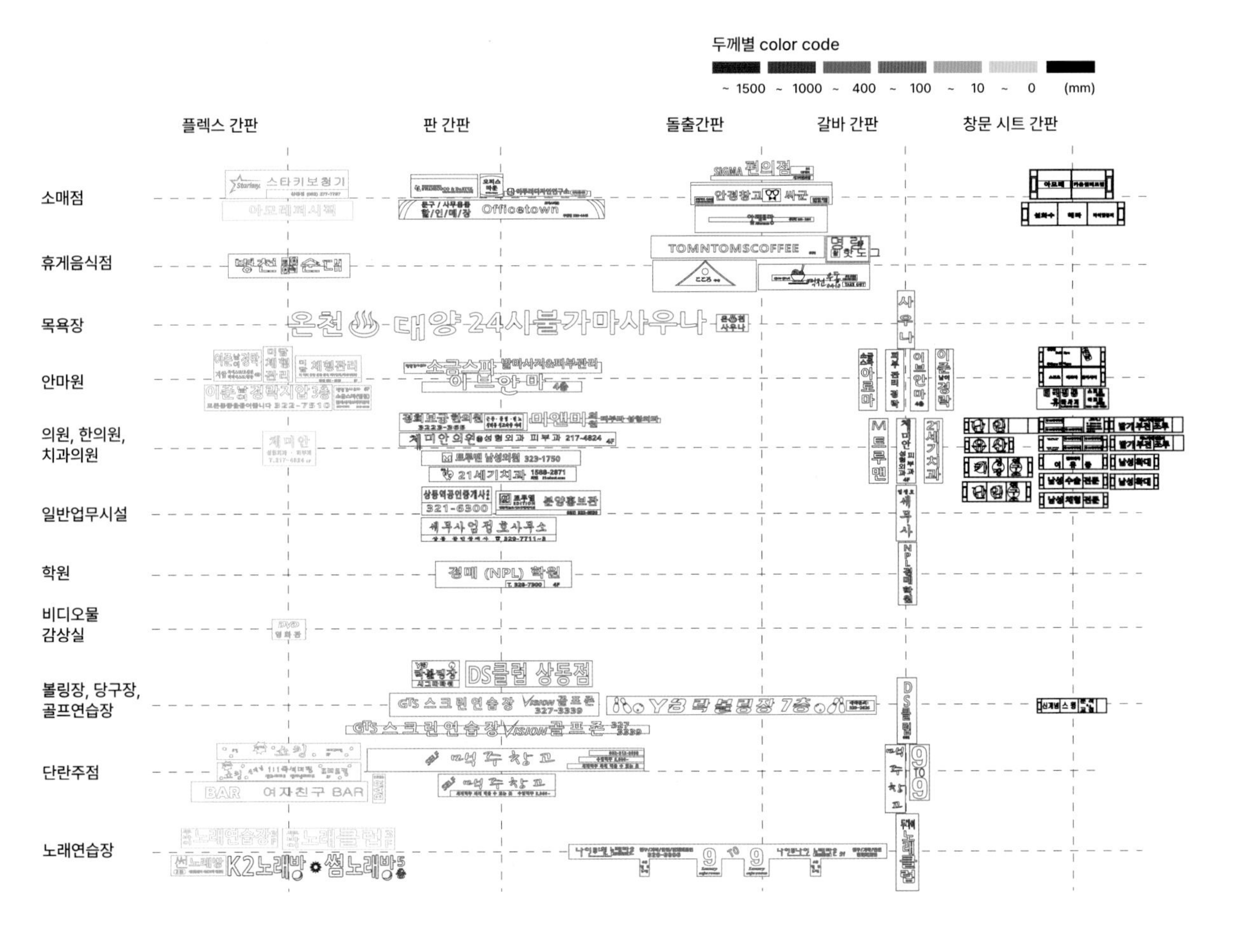

59-60.
어디선가 본 적이 있을법한 모습의
상가건물이다. 종종 상업 간판은 건축과
지역의 맥락을 지워버리기도 한다.

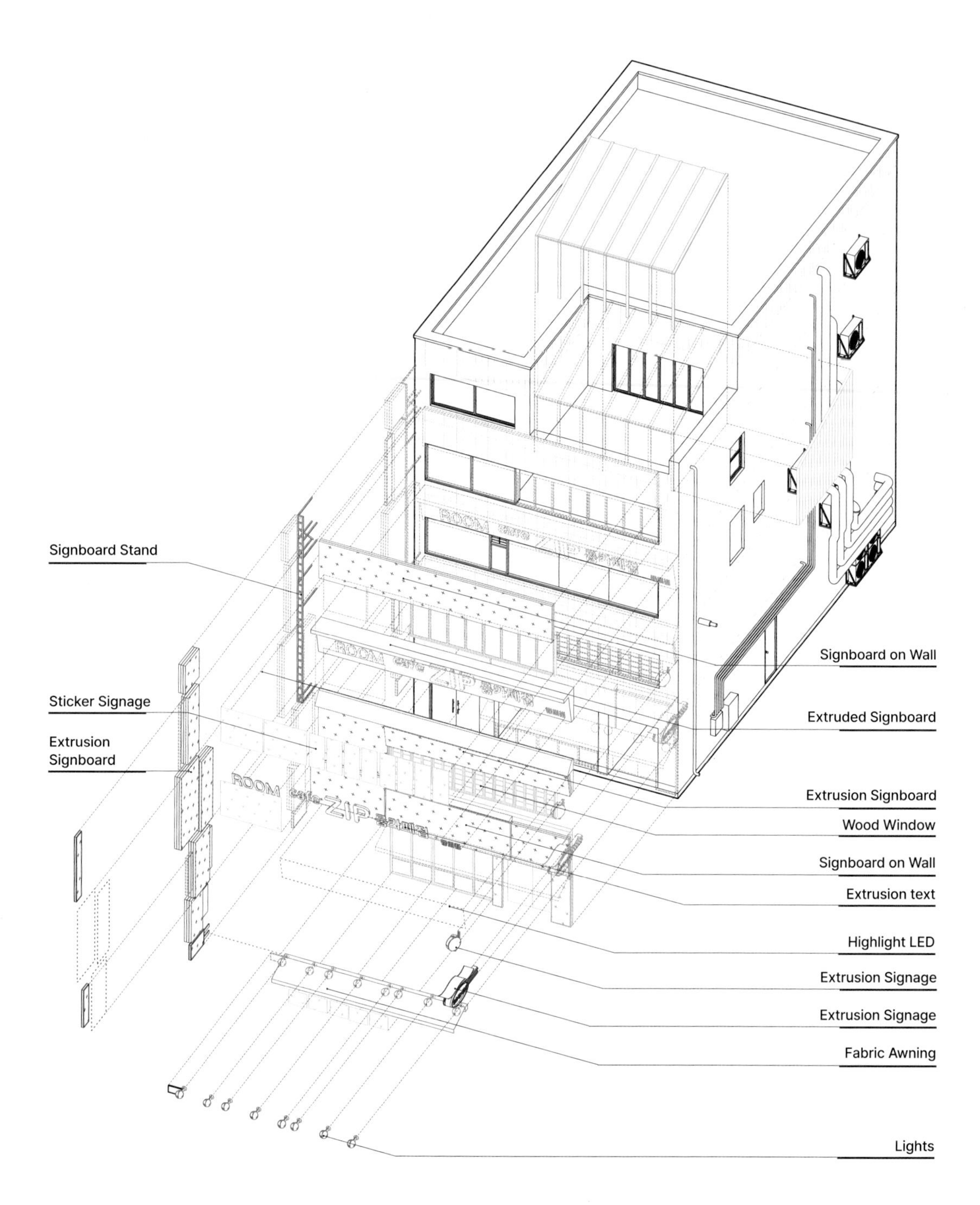

61-62.
간판의 유형이 존재하기는 하지만 거의 무궁무진한 조합으로 건물의 입면을 채운다. 사실 건물의 이미지는 간판의 내용보다도 그 조합이 결정할 때가 많다.

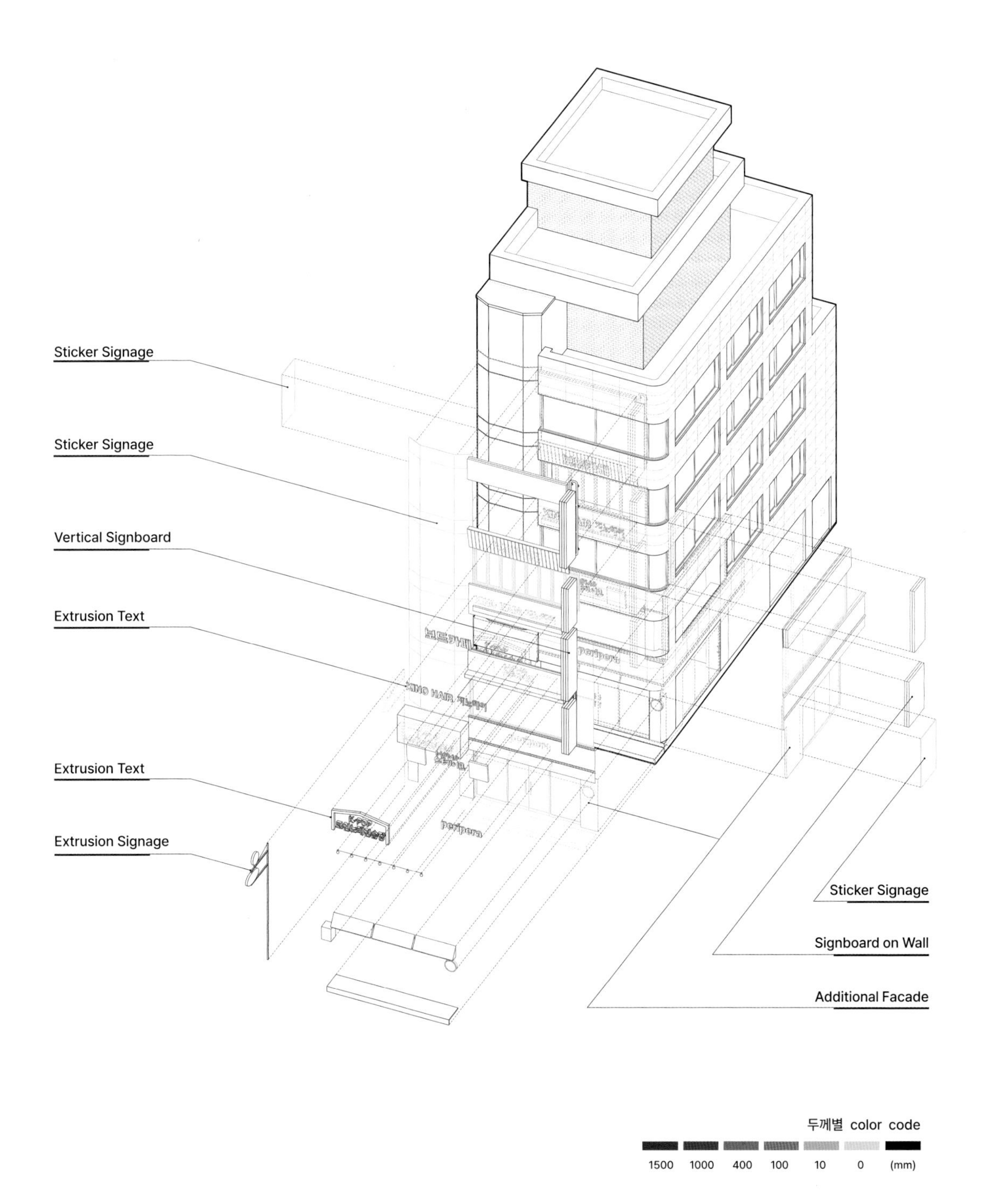
Sticker Signage
Sticker Signage
Vertical Signboard
Extrusion Text
Extrusion Text
Extrusion Signage
Sticker Signage
Signboard on Wall
Additional Facade
두께별 color code
1500
1000
400
100
10
0
(mm)

14. Addendum I

종종 액세서리는 절실한 필요에 의해 만들어지곤 한다. 이미 건축법에 따라 수직동선의 계단이 존재하지만, 새로운 기능이 더해지면 또 다른 계단을 필요로 하기도 한다. 이 때 이 덧입혀진 새로운 계단은 (당연히) 불법적인 경우가 대부분이지만, 이로인해 건물은 새로운 도시의 요구를 수용하며 변화한다. 상업이 발달하지 않았던 지역의 근생이 주변 상업이 발달하며 2-3층에 새로운 상업공간을 받아들이기 위해서는 추가적인 수직동선을 필요로 하기도 한다. 이는 기존 근생의 다양한 층에 새로운 접근성을 부여함으로써 근생 자체에 새로운 생명력을 불어 넣어주는 역할을 하고 있는 것이다. 이러한 추가적인 작업이 없다면 이 근생은 새로운 도시 환경에서 생명력을 상실할 수 밖에 없기 때문이다.

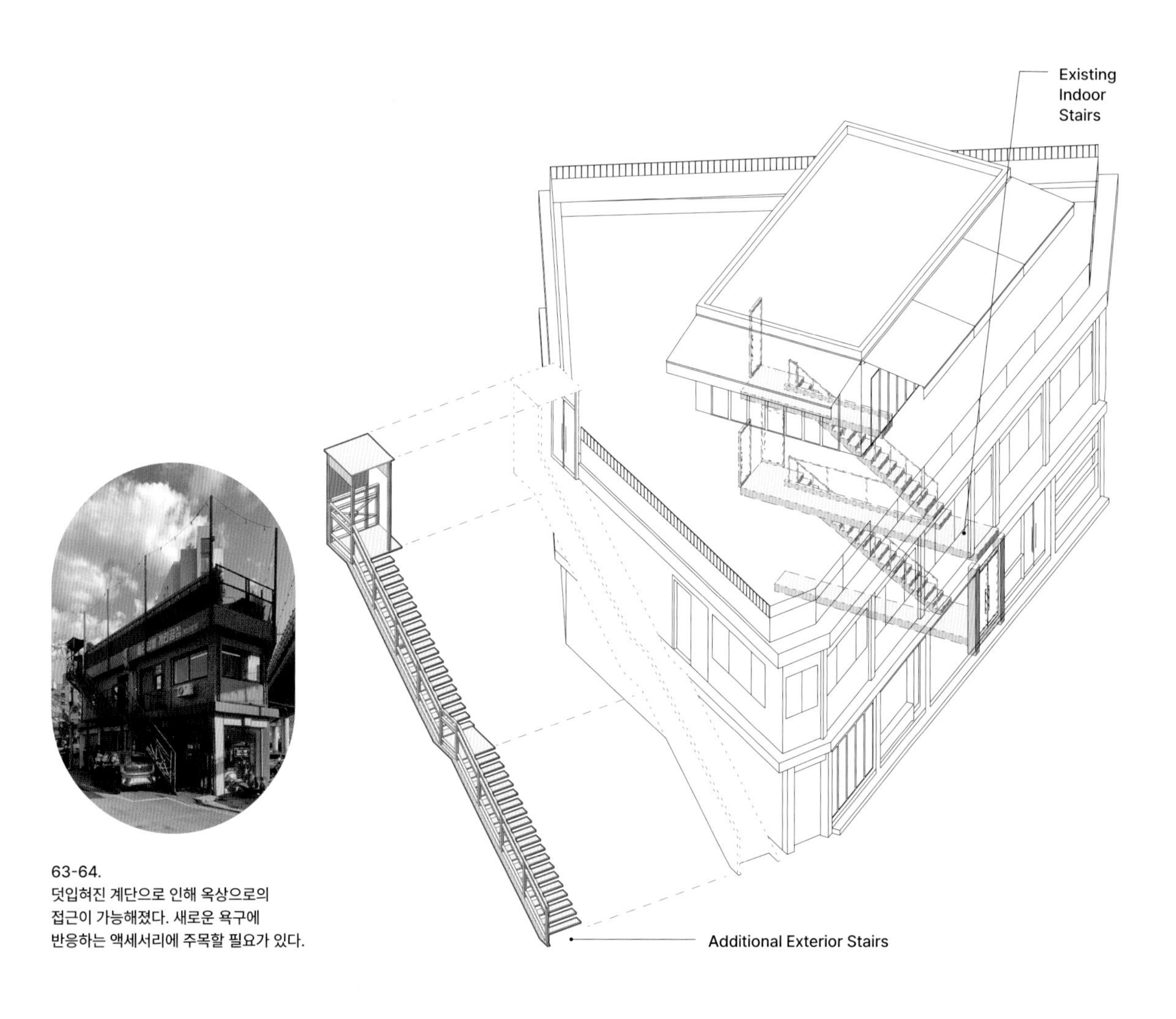

63-64.
덧입혀진 계단으로 인해 옥상으로의 접근이 가능해졌다. 새로운 욕구에 반응하는 액세서리에 주목할 필요가 있다.

15. Addendum II

건물의 특정 영역이 계속해서 새로운 기능 혹은 형태를 입는 경우도 있다. 대부분 이러한 경우는 본 건축물에 해당하는 부분보다는 새롭게 덧붙여진 액세서리의 영역에서 이루어진다.

불법인지 합법인지 모르겠는 애매한 이 영역은 세입자가 바뀔 때 마다 세입자가 필요한 성격과 공간으로 탈바꿈한다. 이 영역은 건물 안에서 일어나는 일들을 건물 밖 도시에서 경험할 수 있게 해주는 일종의 Soft Edge 역할을 한다. 도시 산책자들은 꼭 저 안에 들어가야지만, 혹은 간판을 봐야지만 업종을 알 수 있는 것이 아니라, 이 Soft Edge에 드러나는 액세서리만 가지고 그것을 상상할 수 있는 것이다.

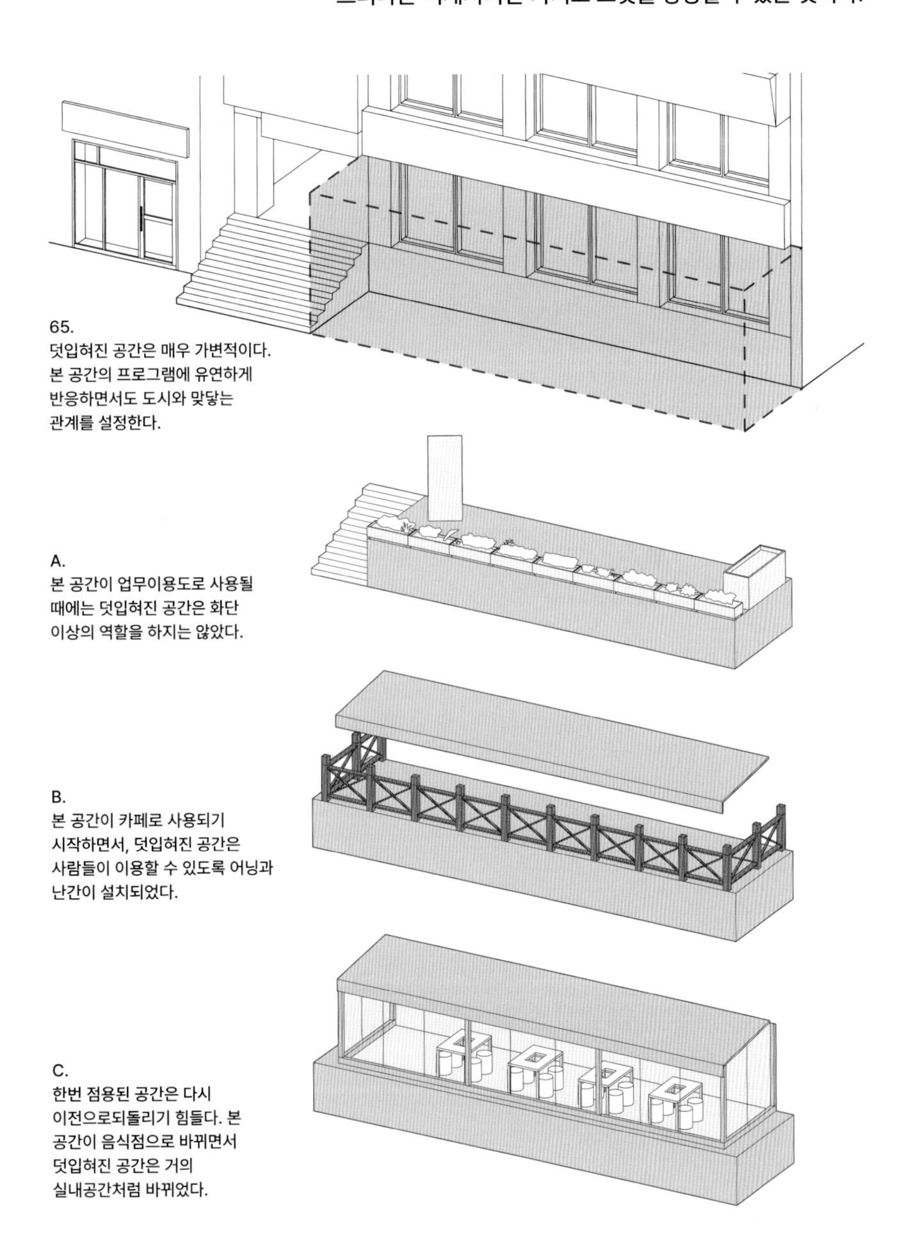

65.
덧입혀진 공간은 매우 가변적이다. 본 공간의 프로그램에 유연하게 반응하면서도 도시와 맞닿는 관계를 설정한다.

A.
본 공간이 업무이용도로 사용될 때에는 덧입혀진 공간은 화단 이상의 역할을 하지는 않았다.

B.
본 공간이 카페로 사용되기 시작하면서, 덧입혀진 공간은 사람들이 이용할 수 있도록 어닝과 난간이 설치되었다.

C.
한번 점용된 공간은 다시 이전으로되돌리기 힘들다. 본 공간이 음식점으로 바뀌면서 덧입혀진 공간은 거의 실내공간처럼 바뀌었다.

16. Legal? Illegal?

도시는 시민과 자본의 욕구가 분출되는 곳이다. 때로는 이 욕구가 잘 어울어져 새로운 도시공간을 만든다. '대지 안의 공지' 는 법적으로는 점유할 수 없지만, 이 공간이 점용됨으로 인해 거리의 풍경이 새롭게 만들어진다.

종종 불법과 합법의 경계에서 (의도적으로) 애매한 지점을 점유하고 있는 액세서리들이 있다. 개중에는 '합법화'된 불법도 있다. 액세서리는 때때로 이 경계에서 새로운 모습을 창출해내다.

우리 모두가 알고 있듯이 한국의 건축법은 대지 안에 일정한 공지를 확보하도록 한다. 용도마다 이격거리가 조금씩 다르지만, 기본적으로 서양이나 일본에서처럼 맞벽 방식의 건축이 나올 수는 없다. 건물의 모든 면에서 환기와 채광이 어느 정도는 가능하도록 하기 위한 기본적인 조치임은 명백하다. 동시에 이것이 가져온 도시의 풍경은 꼭 긍정적으로 보이지는 않는다. 거리를 형성하는 입면은 사라지고, 이빠진 풍경들만 남는다. 건물과 건물사이의 공간은 쓰레기로 채워져있던가 무의미한 화단으로 그 경계를 나누고 있을 뿐이다. 등록되지 않은 도시공간인 것이다.

그런데 이 공간을 점유하는 액세서리들이 있다. 건물에 기생하는 듯이 보이고 불법과 합법의 모호한 경계지점을 점유하며, 거리에서 보면 전혀 불법적이지 않아 보인다. 동시에 아기자기한 상업가로의 풍경을 새롭게 만들어 낸다.

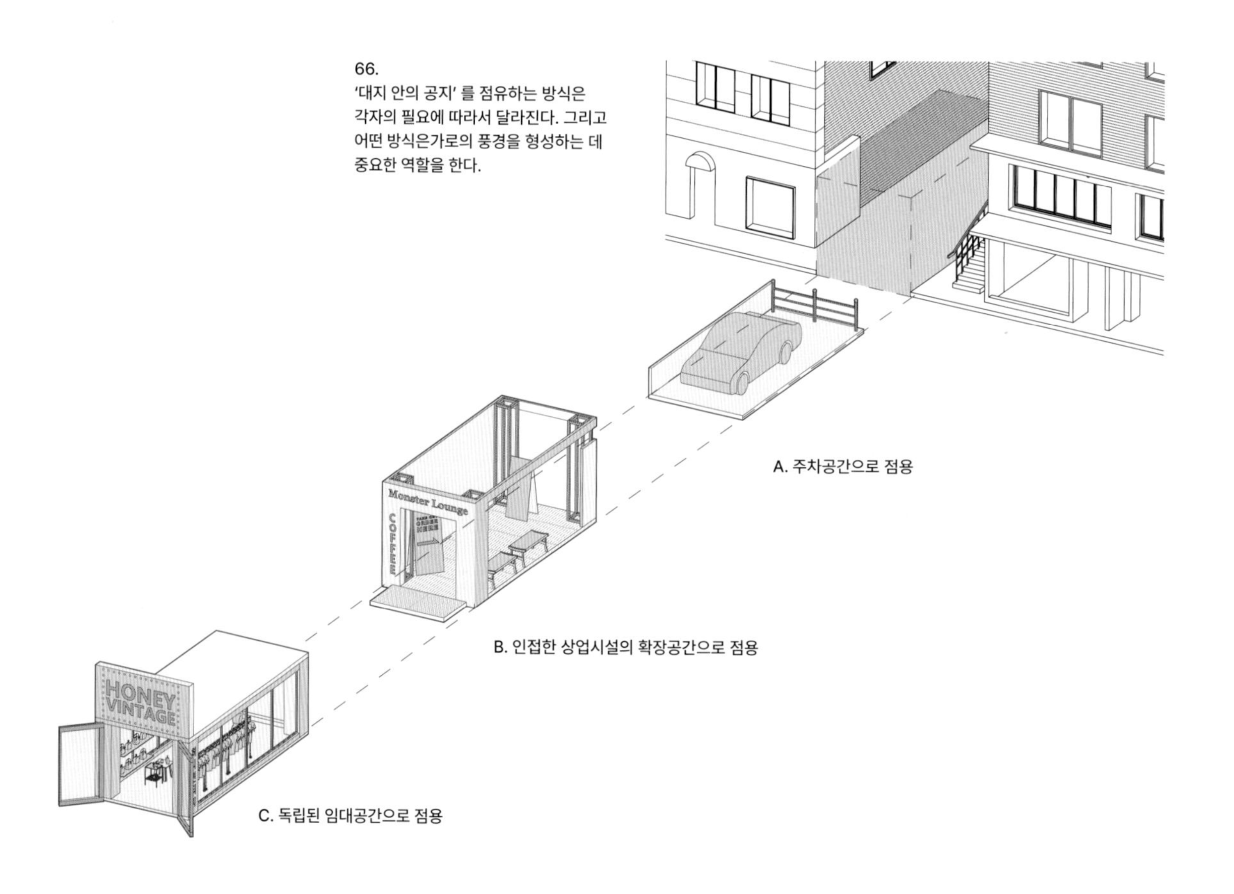

66.
'대지 안의 공지' 를 점유하는 방식은 각자의 필요에 따라서 달라진다. 그리고 어떤 방식은가로의 풍경을 형성하는 데 중요한 역할을 한다.

67.
현 법규 상으로는 위법이지만, 대지안의 공지를 점유함으로써 형성되는 가로의 모습은 새로운 도시의 풍경을 만들어내기도 한다.

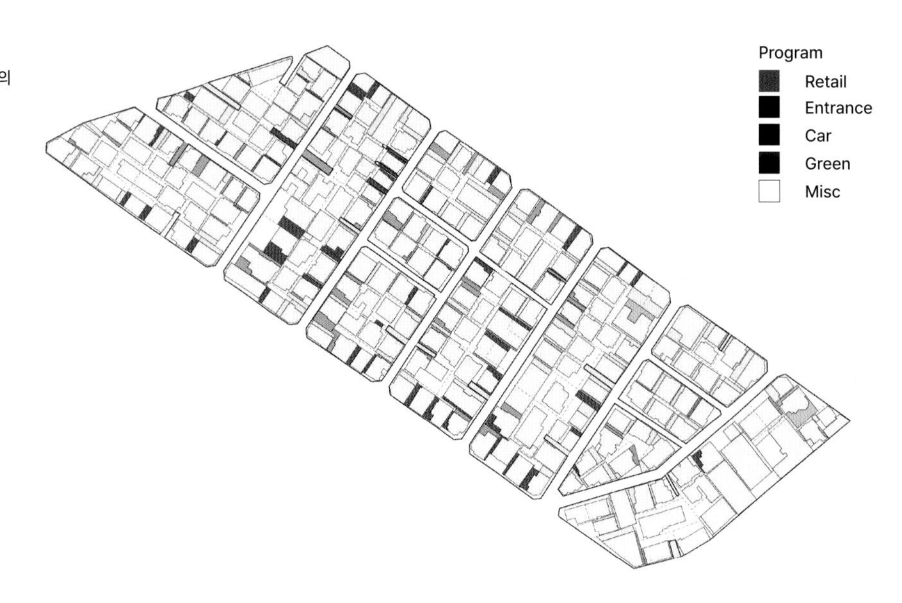

68-71.
'대지 안의 공지' 를 점용하고 있는 홍대 인근의 상점들

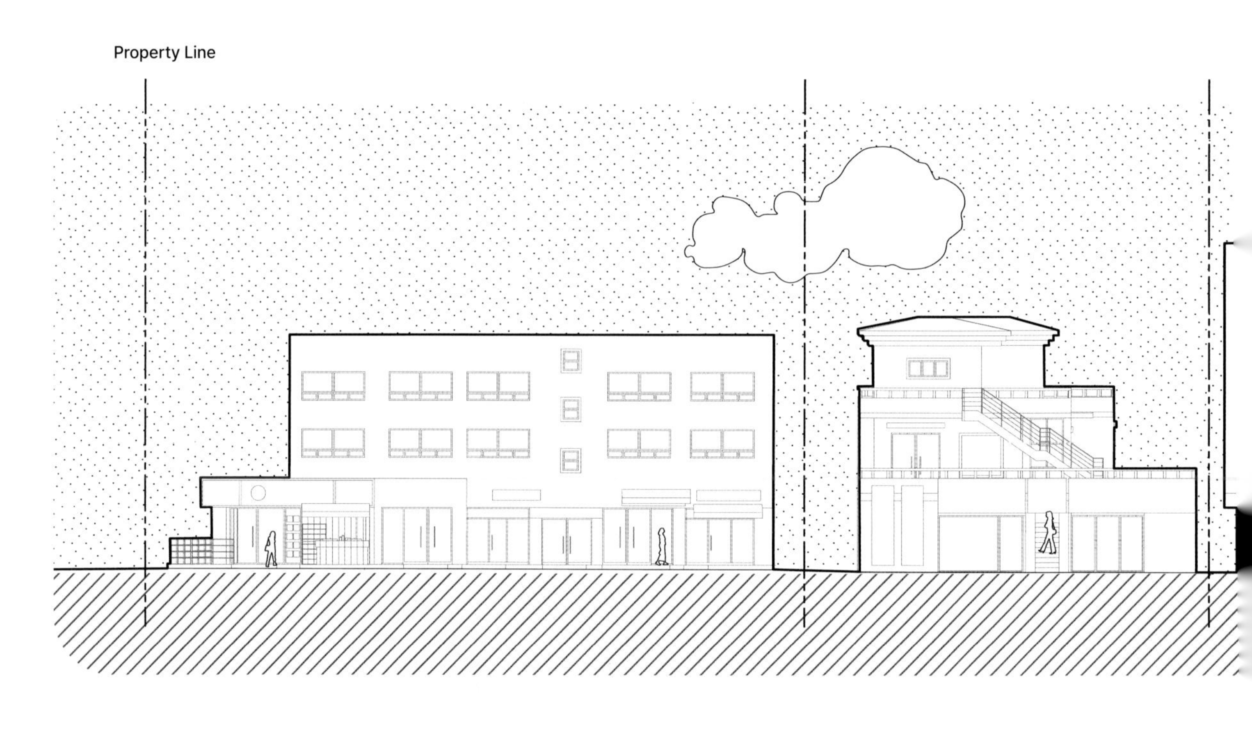
Property Line

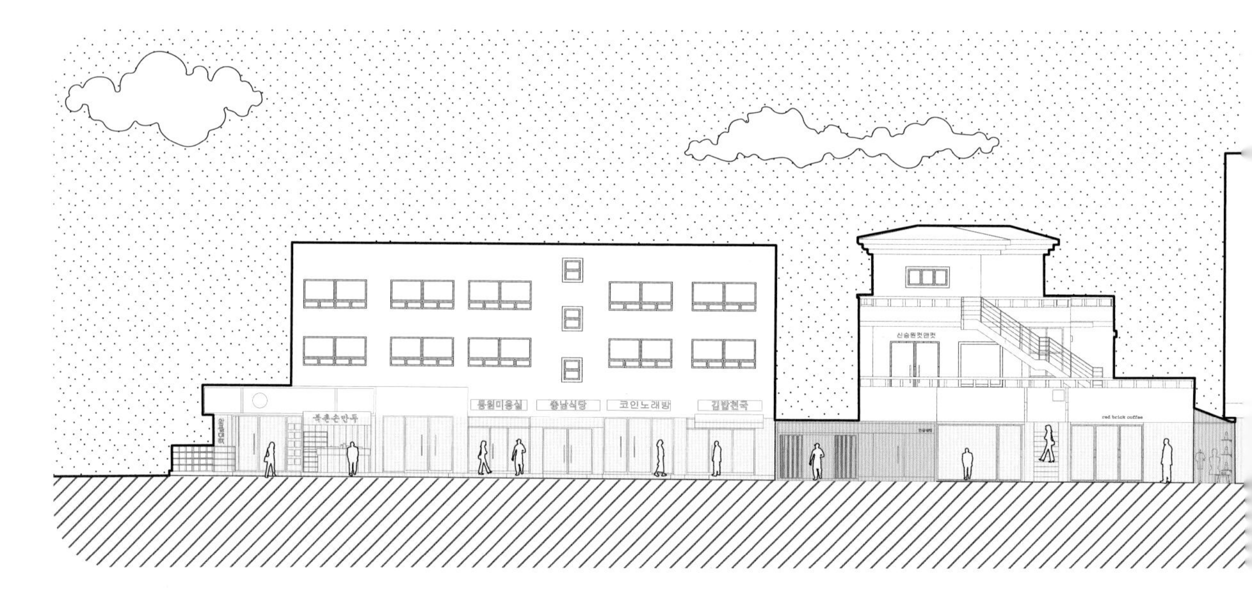
북촌손만두
충남식당
코인노래방
김밥천국
red brick coffee

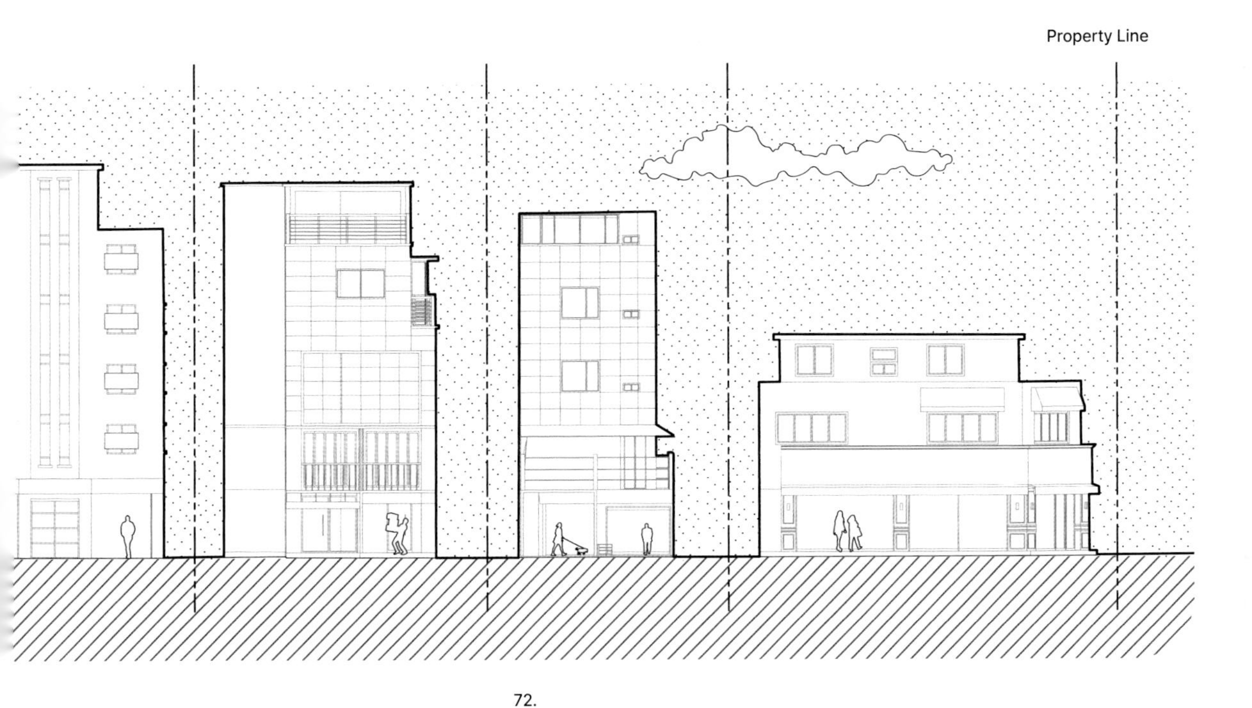

72.
'대지 안의 공지' 가 일반주거지지역에서는 유효할지는 모르나 근린생활가로를 형성하는 데는 제약이 된다.

73.
현 법규 상으로는 위법이지만, 대지안의 공지를 점유함으로써 형성되는 가로의 모습은 새로운 도시의 풍경을 만들어내기도 한다.

17. Performative/ Esthetic

건물 외부로 빠져나오는 보일러의 배연통이나 도시가스의 배관은 지극히 기능적인 요소들이다. 배관의 반복적이고 규칙적인 배열이 흥미로운 도시의 풍경을 만들어 낸다. 이들을 디자인하는 건축가가 많지는 않은데 피할 수 없다면, 이것들로 새로운 디자인을 생각해 볼 수도 있을까.

74-78.
건물 외벽으로 나온 설비는 지극히 기능적이다. 가장 기능적인 것이 주는 아름다움이 있다.

79.
신사동의 한 근생 건물은 건물의 디자인 요소로 (기능은 없지만) 배관이라는 요소를 미적으로 사용하고 있다.

18. Performative/ Ornamental

건축에서의 장식은 미학을 표현하는 가장 원초적이고 오래된 수단이다. '형태는 기능을 따른다'라는 아주 오래된 명제가 있지만, 건축의 요소가 기능만을 추구하지는 않는다. 심지어 건축가들이 집착하는 일부 디테일은 사실 기능적인 요소라기보다는 미학적인 요소인데, 큰 틀에서 장식으로 해석될 수도 있다.

아이러니하게 액세서리는 이름과는 달리 매우 기능적이다. 그러면서도 가장 미니멀한 제스처를 갖고 있다. 에어컨 실외기를 받치는 거치대는 가장 가벼운 재료로 딱 힘 받는 부분에만 가장 미니멈 한 프로파일로 구성되어 있다. 다른 액세서리 역시 마찬가지다. 그 기능을 수행할 수 있으면 된 것이지, 그 이상의 미학이 왜 필요한가? 반문하며 도시의 이미지를 형성한다. 이 지점이 건축가들의 희망 사항과 대치되는 것이 아닌가 싶다. 그래서 종종 건축가들에게 괄시 당하는 액세서리가 아닌가 싶다.

A.
실외기 거치대

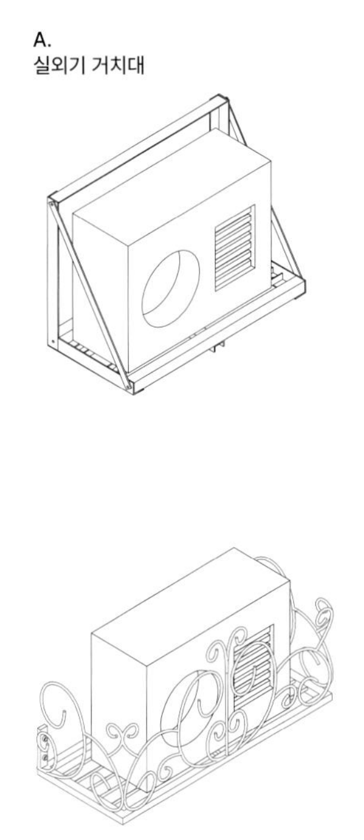

B.
방범창살

C.
창문 가림막

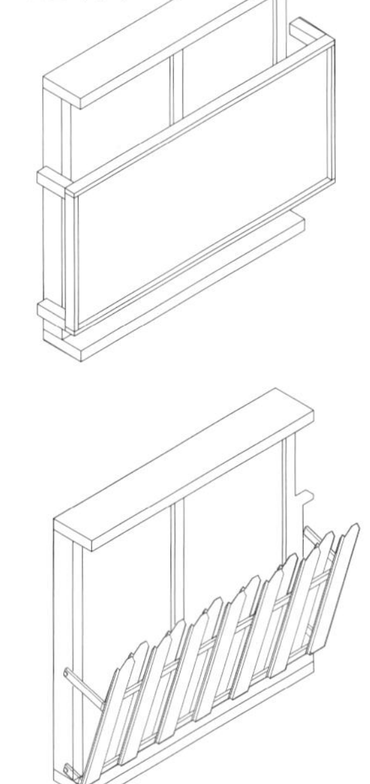

80.
지극히 기능적이기만 하면 될 것 같은 액세서리에도 미적 요소가 반영된다. 가끔은 왜 굳이?라는 생각이 들지만, 그것이 시장의 요구일 수도 있겠다.

19. Dissolving Edge

어닝은 기본적으로 두 가지 기능을 한다. 하나는 건물 내부로 들어오는 직사광선을 막아주거나 어닝 밑 공간에 그림자를 제공하는 차양의 기능이고, 또 하나는 어닝 하부에 하나의 영역을 제공해주는 것이다. 도로에 면한 카페나 레스토랑 등에서는 어닝이 이 두 가지 기능을 성실히 수행한다.

간혹 상업지역에서는 첫번째 기능보다는 두번째 기능이 매우 중요하다. 어닝이 공공도로의 영역으로 침범하면서부터 어닝의 하부는 도로가 아닌 1층 상가의 영역이 된다. 어닝은 상가에서 내 놓은 물건들이 비를 맞지 않도록 하며, '여기까지가 내 영역'이라고 말한다. 시간이 지나면 언제 그랬냐는 듯, 물건은 상점 안으로 철수하고, 어닝은 접혀있다. 시간에 따라 어닝에 의해 도로와 건물의 가장자리 관계가 바뀌는 것이다.

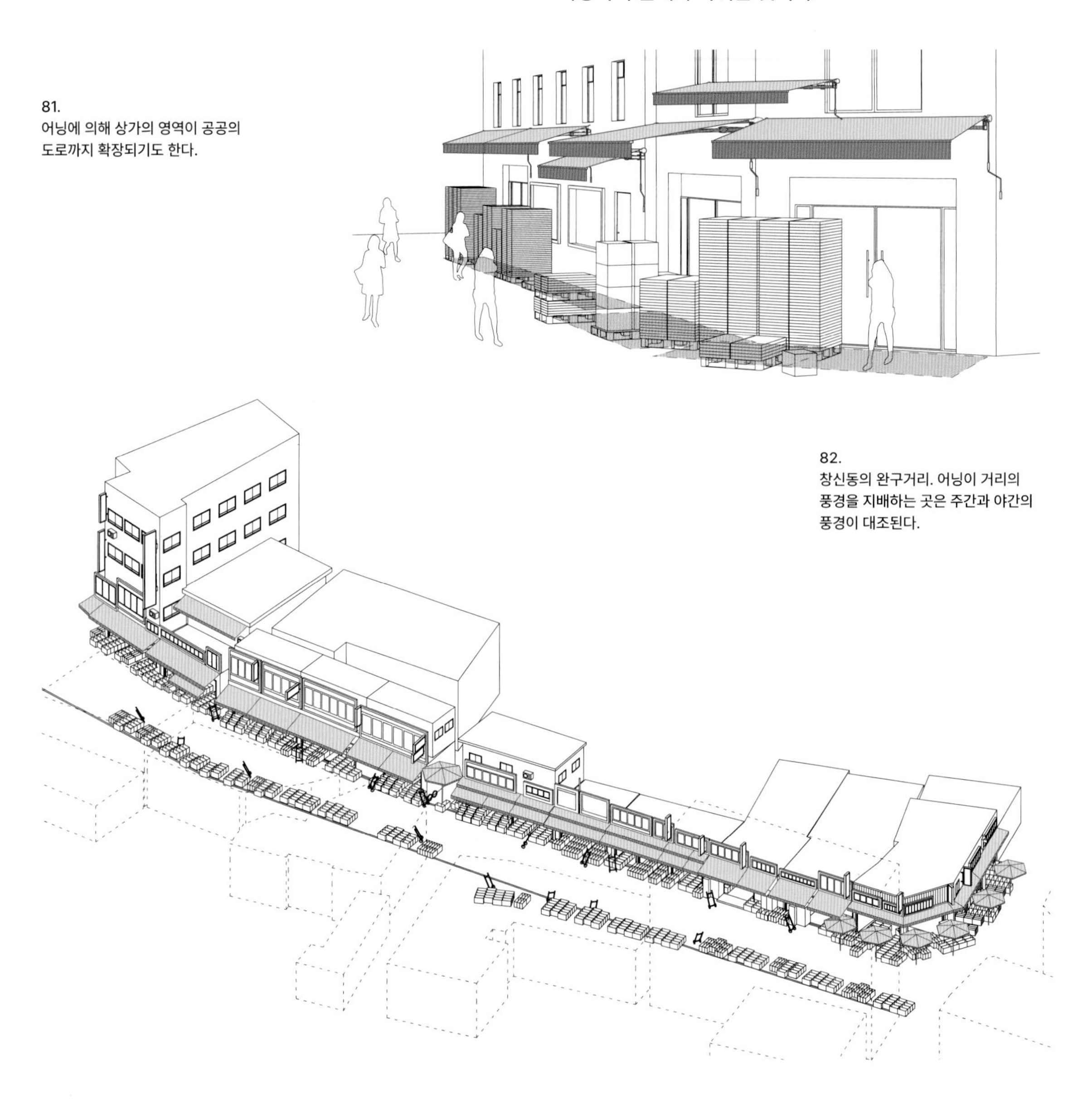

81.
어닝에 의해 상가의 영역이 공공의 도로까지 확장되기도 한다.

82.
창신동의 완구거리. 어닝이 거리의 풍경을 지배하는 곳은 주간과 야간의 풍경이 대조된다.

20. Useless Awning

반면 아무런 물리적인 기능을 하지않는 어닝도 있다. 태양의 직사광선을 막아주는 것도 아니고, 비를 막아주는 것도 아니며, 하부에 물리적인 바운더리를 제공해주는 것도 아니다. 이러한 어닝은 그 자체의 존재감을 위해 존재한다. 건물 외곽라인에서부터 많게는 3-4미터도 뻗어나갈 수 있는 장치가 어닝이다. 물론 1미터까지가 합법으로 규정되어 있지만, 언제든지 접을 수 있는 접이식 어닝이라면 1미터 규정이 대수겠는가. 그러다 보니 나의 존재감을 알리기 위한 기호로서 어닝만한 것이 없다. 멀리서도 건물에서 튀어나온 무언가가 보일 수 밖에 없으니 어떤 경우에는 간판보다 더 존재감을 드러낸다.

83-84.
실내에 설치 된 어닝은 사실 큰 기능을 하지 않는다. 하지만 외부 가로의 분위기를 형성하고 상점의 존재감을 나타내기엔 충분하다.

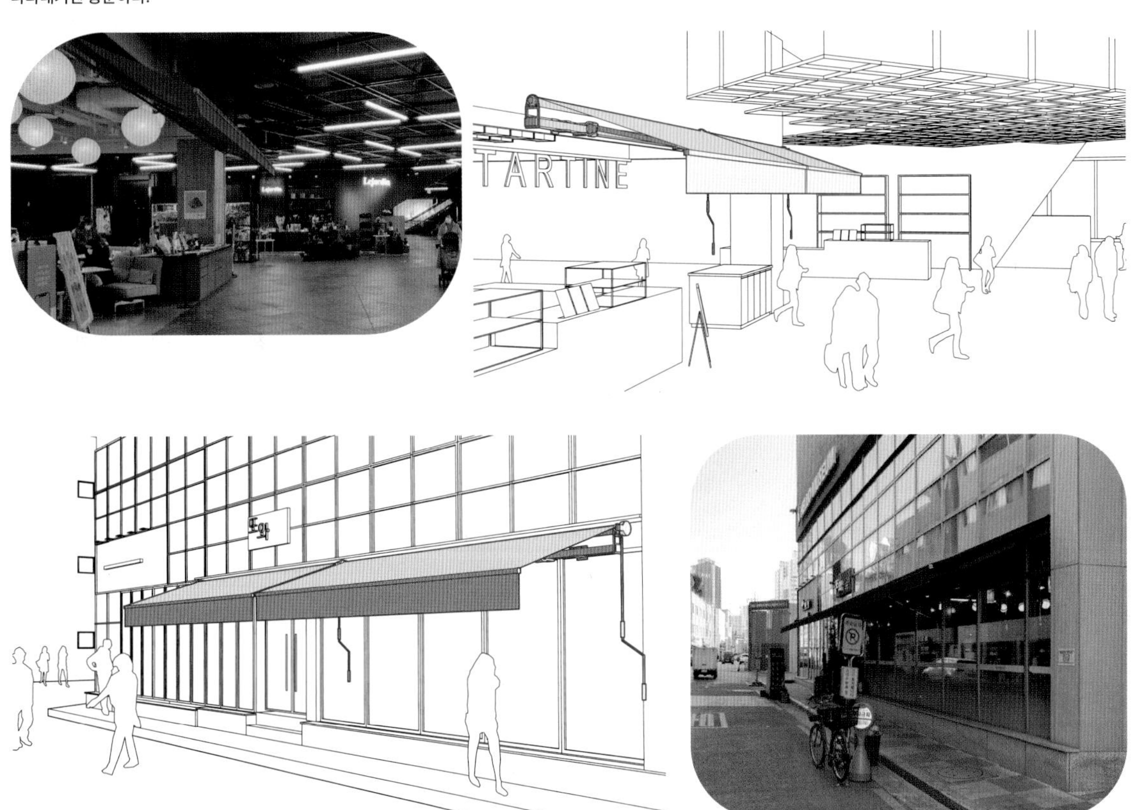

85-86.
건물의 북측면에 설치된 어닝. 하부에 테라스를 두어 어닝 아래 공간을 점용할 수 있는 것도 아니며, 폴딩 도어를 설치해 내부 공간을 밖으로 확장할 수 있는 것도 아니다.

21. Supplements

도시의 인프라가 우리가 필요한 모든 것을 제공해 주면 좋겠지만, 종종 그러지 못하는 경우가 생긴다. 수도가 끊기기도 하고, 전력이 차단되기도 한다. 물론 도시가 발전할수록 드문 일이지만, 여전히 건물은 이러한 상황에 어느 정도 대비해야 하고 이때 액세서리의 역할이 발휘되기도 한다.

한때 다가구 · 다세대 주택의 옥상 물탱크는 건물의 보충제다. 직결급수가 잘되지 않고 수도 공급도 들쭉날쭉일 시절에 필요한 물을 안정적으로 공급해 주는 것은 옥상의 물탱크였다. 노란색 물탱크는 한때 서울의 지배적인 풍경을 장식하곤 했다.

지금 옥상의 풍경은 태양열 전지판으로 덮이고 있다. 물탱크처럼 우후죽순 생겨나는 것은 아니지만, 여전히 친환경 자가발전이라는 명목하에 전지판들은 건물의 옥상을 장악해 나간다. 운동할 때 먹는 헬스 보충제도 적당한 선이 있듯이 건축의 보충제도 과다 복용하면 탈이 날 수도 있겠다.

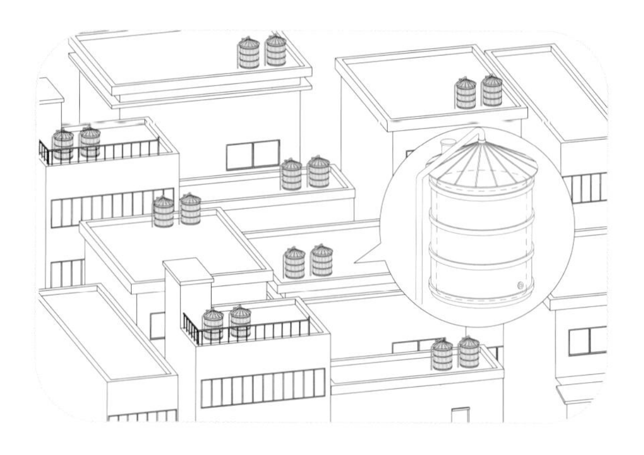

87.
도시 인프라가 잘 구축되어 있으면 필요치 않을 물탱크는 한동안 저층 주거지의 필수불가결한 요소였다.

88.
옛 구로공단 시절 2호선을 타고가며 창밖을 바라보면, 셀 수 없이 많은 노란색 물탱크를 본 기억이 있다. 지금은 많이 사라졌지만, 여전히 존재하는 건축의 보충제다.

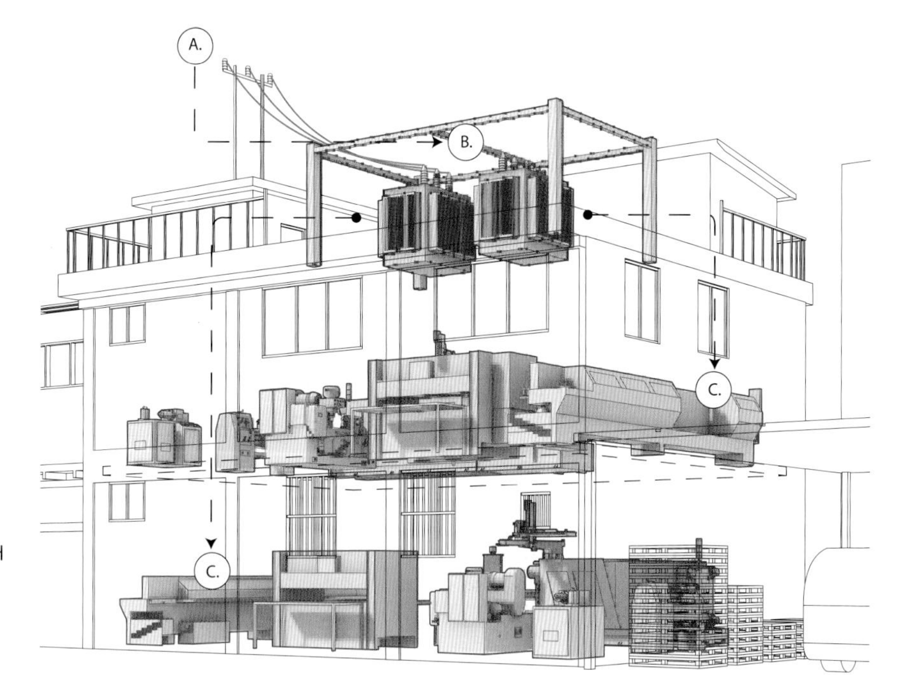

89.
안정적인 전력 공급은 인쇄공장의 최대 숙제 중의 하나다. 도시 인프라에 대한 불확신은 건물의 액세서리를 통해 자체적으로 해소한다.

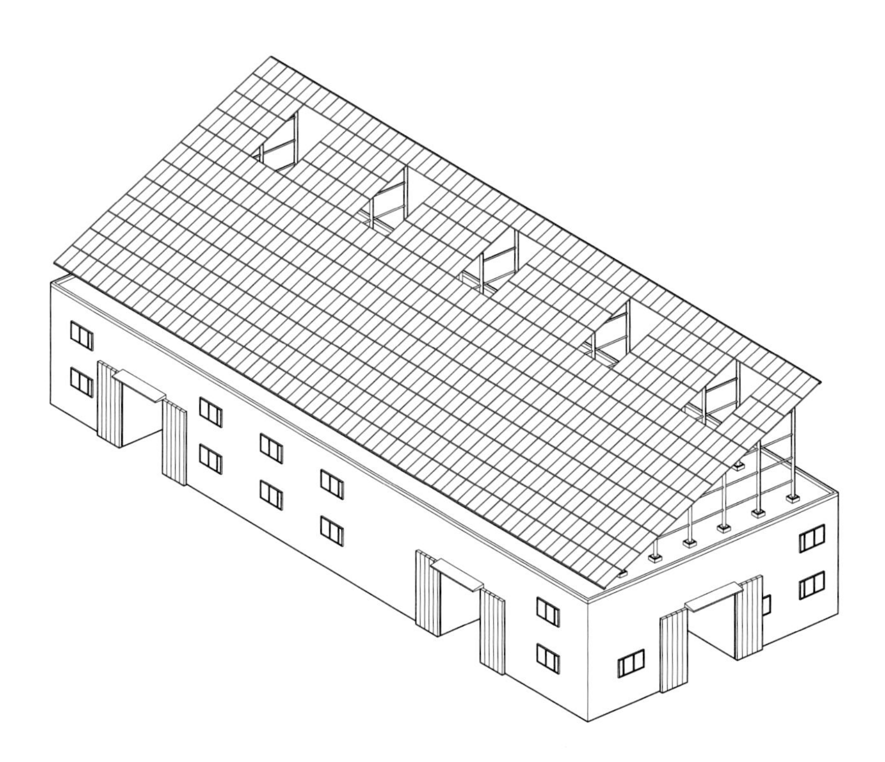

90.
대체에너지 혹은 신재생에너지를 활용하기 위해 액세서리는 계속해서 발전한다. 그런데 액세서리들이 건물을 위해 존재하는지, 건물이 액세서리를 위해 존재하는지 모호해질 때가 있다.

22. Height Increase Insole

키높이 밑창은 자존감을 높여준다고 했던가. 건물에도 키높이 밑창이 존재한다. 다만 밑창이 아니라 윗창이다. 건물의 존재감을 높이기 위해서 파사드만 올린다던가 구조물을 올리는 경우가 있다. 건축법적으로 50% 이상이 비어있으면 건축물 높이 산정에서 제외되기 때문에 비어있는 창이나 구조 프레임만 올린다. 역사적으로도 오래된 방식이다.

르네상스 교회의 입면은 그 이면의 모습과 완전히 다르게 존재하기도 하며, 기능적으로는 물처리를 위해서 지붕을 박공지붕으로 하지만, 도시 경관의 모습을 위해 입면만 직선으로 유지하는 경우도 있다. 가짜 입면이 탄생하는 순간이다. 이 가짜가 우리의 도시 경관을 형성하고 있다.

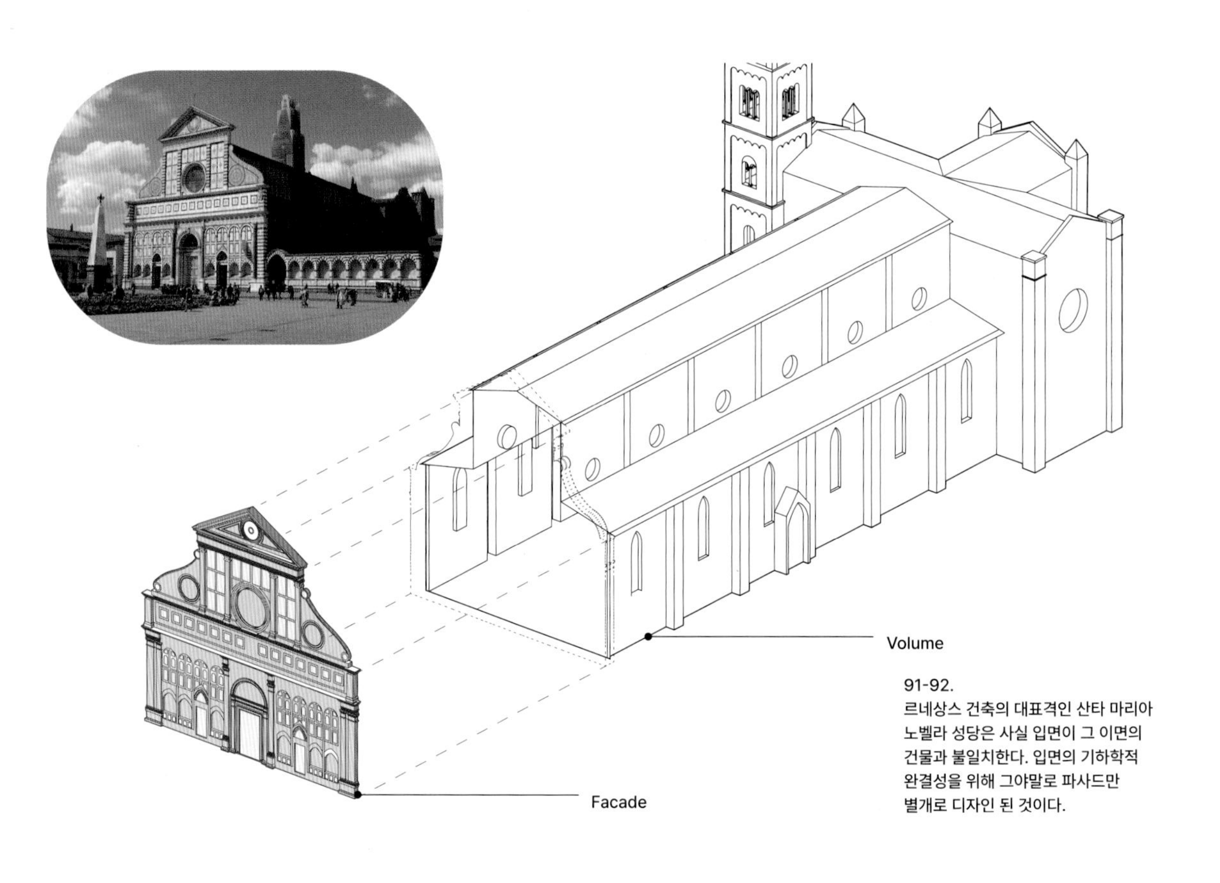

91-92.
르네상스 건축의 대표격인 산타 마리아 노벨라 성당은 사실 입면이 그 이면의 건물과 불일치한다. 입면의 기하학적 완결성을 위해 그야말로 파사드만 별개로 디자인 된 것이다.

건축법 시행령 119조 5항. 건축물의 높이:
지표면으로부터 그 건축물의 상단까지의 높이 [건축물의 1층 전체에 필로티(건축물을 사용하기 위한 경비실, 계단실, 승강기실, 그 밖에 이와 비슷한 것을 포함한다)가 설치되어 있는 경우에는 법 제60조 및 법 제61조제2항을 적용할 때 필로티의 층고를 제외한 높이]로 한다. 다만, 다음 각 목의 어느 하나에 해당하는 경우에는 각 목에서 정하는 바에 따른다.

라. 지붕마루장식·굴뚝·방화벽의 옥상돌출부나 그 밖에 이와 비슷한 옥상돌출물과 난간벽(그 벽면적의 2분의 1 이상이 공간으로 되어 있는 것만 해당한다)은 그 건축물의 높이에 산입하지 아니한다.

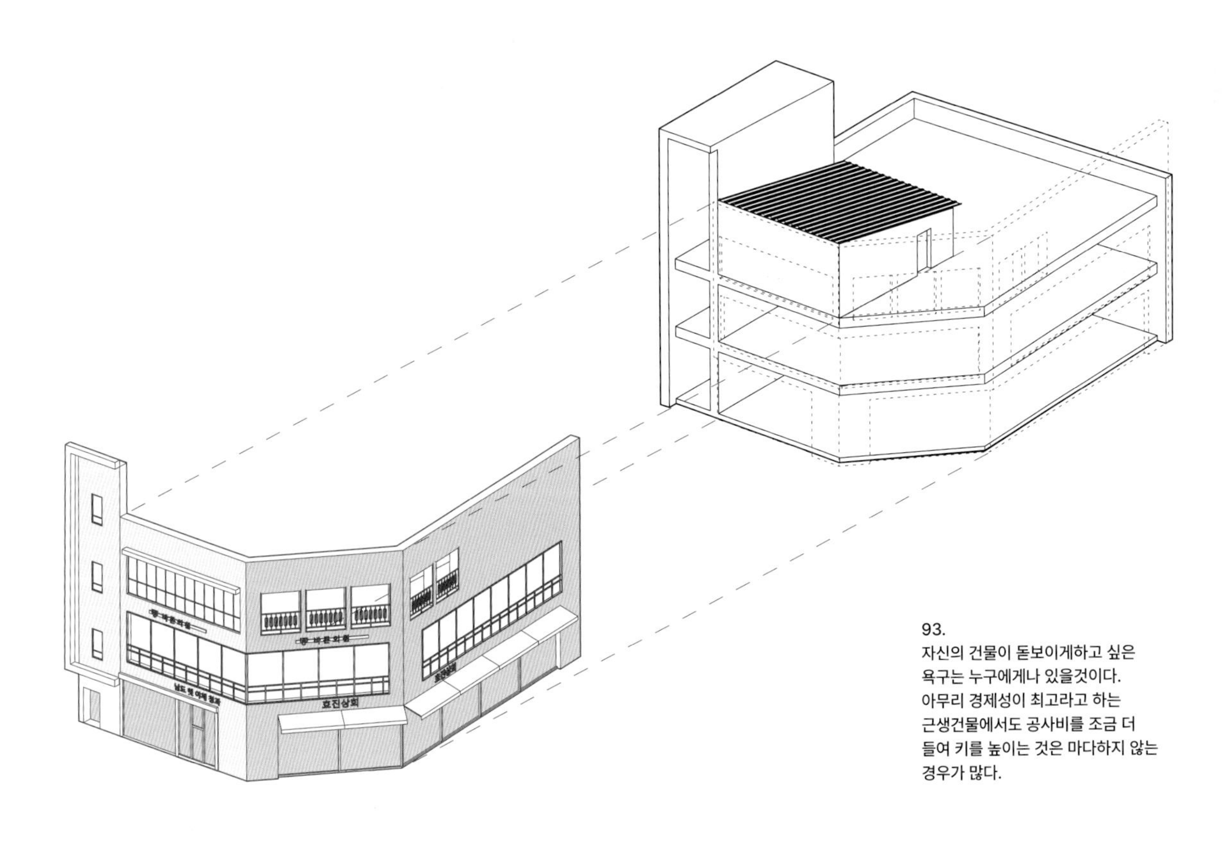

93.
자신의 건물이 돋보이게하고 싶은 욕구는 누구에게나 있을것이다. 아무리 경제성이 최고라고 하는 근생건물에서도 공사비를 조금 더 들여 키를 높이는 것은 마다하지 않는 경우가 많다.

23. Neighborhood Accessories

서울의 대표적인 준공업지역인 성수동에서는 소규모 공장들은 작은 도시조직 안에 빈 껍데기처럼 존재하지만 자동차 공업, 인쇄, 금형, 구두제작, 가공 등에 필요한 용도와 공간을 만들어낸다.

종로와 같이 상업이 주된 기능인 곳은 간판과 같은 액세서리가 풍경을 지배하듯, 성수동은 덕트, 발전기, 리프트, 쉐드 등의 액세서리가 풍경을 만들어낸다.

이러한 액세서리는 지역의 풍경을 만들어내기도 하지만, 건축이 지역의 도시조직에 유연하게 순응할 수 있도록 해주기도 한다. 즉, 성수동의 공장 건축물들은 산업단지에서 볼 수 있는 방식의 공장이 아닌, 그야말로 도시조직에 순응해있는 도시형 공장들이다.

자동차 공업사는 '보통 건물'에 입수해있다. 이들은 단 차이를 없애고, 차량을 건물 내부로 들일수 있게 철제 램프와 창호 없이 셔터를 설치한다.

대부분의 공업사에서 반복적으로 나타나는 '액세서리 유형'이다. 성수동 카페들이 여전히 공장 느낌을 갖고 갈 수 있는 이유는, 건물의 액세서리만 바꾸면 손쉽게 공장에서 카페가 될 수 있기 때문이다.

동네에 따라서는 건축의 유형이나 재료보다는 액세서리가 그 풍경을 지배한다.

94.
성수동의 도시형 공장은 여러 액세서리를 활용하며 공장으로서의 기능을 유지한다.

VL모터스
성수동2가 322-5

신화프린팅
성수동1가 656-417

글로젠아이엔티
성수동2가 277-3

동양실업
성수동2가 289-281

동진프린트
성수동2가 299-147

레드프린팅 앤 프레스
성수동2가 278-33

박스나라
성수동2가 289-280

삼창로라
성수동2가 299-66

상신브레이크 천우오토파츠
성수동2가 280-27

상우철강사
송정동 81-1

성진데칼
성수2가3동 289-300

세호프린팅
성수동2가 278-31

극동공업사
성수동2가 280-35

장안지기인쇄
성수동2가 284-7

지성모터스
성수동2가 279-17

한경자원
성수동2가 289-290

한솔코팅
성수동2가 289-294

상현봉투
성수동2가 278-35

DM 모터스
성수동2가 277-129

페덱스
성수동2가 277-26

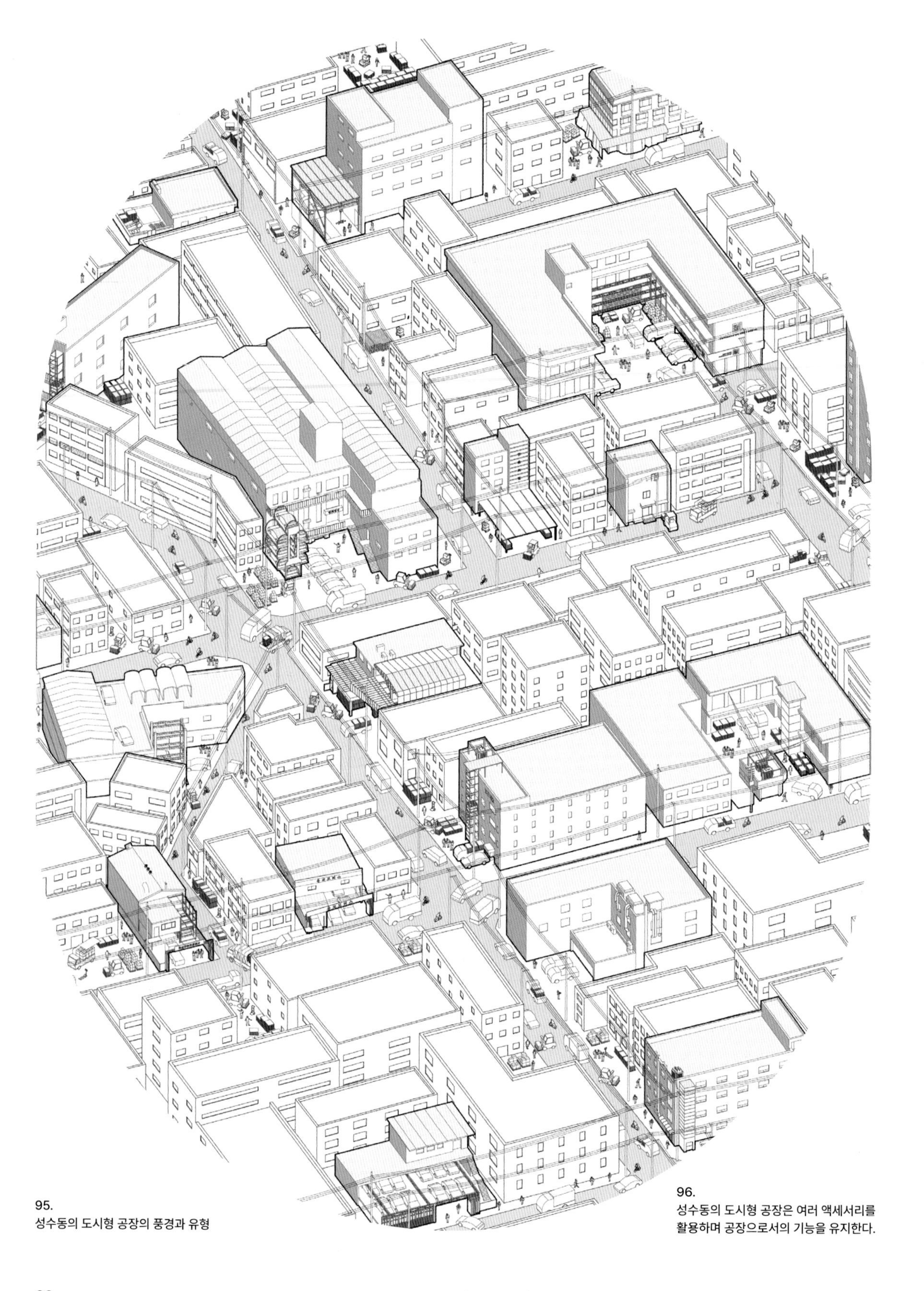

95.
성수동의 도시형 공장의 풍경과 유형

96.
성수동의 도시형 공장은 여러 액세서리를 활용하며 공장으로서의 기능을 유지한다.

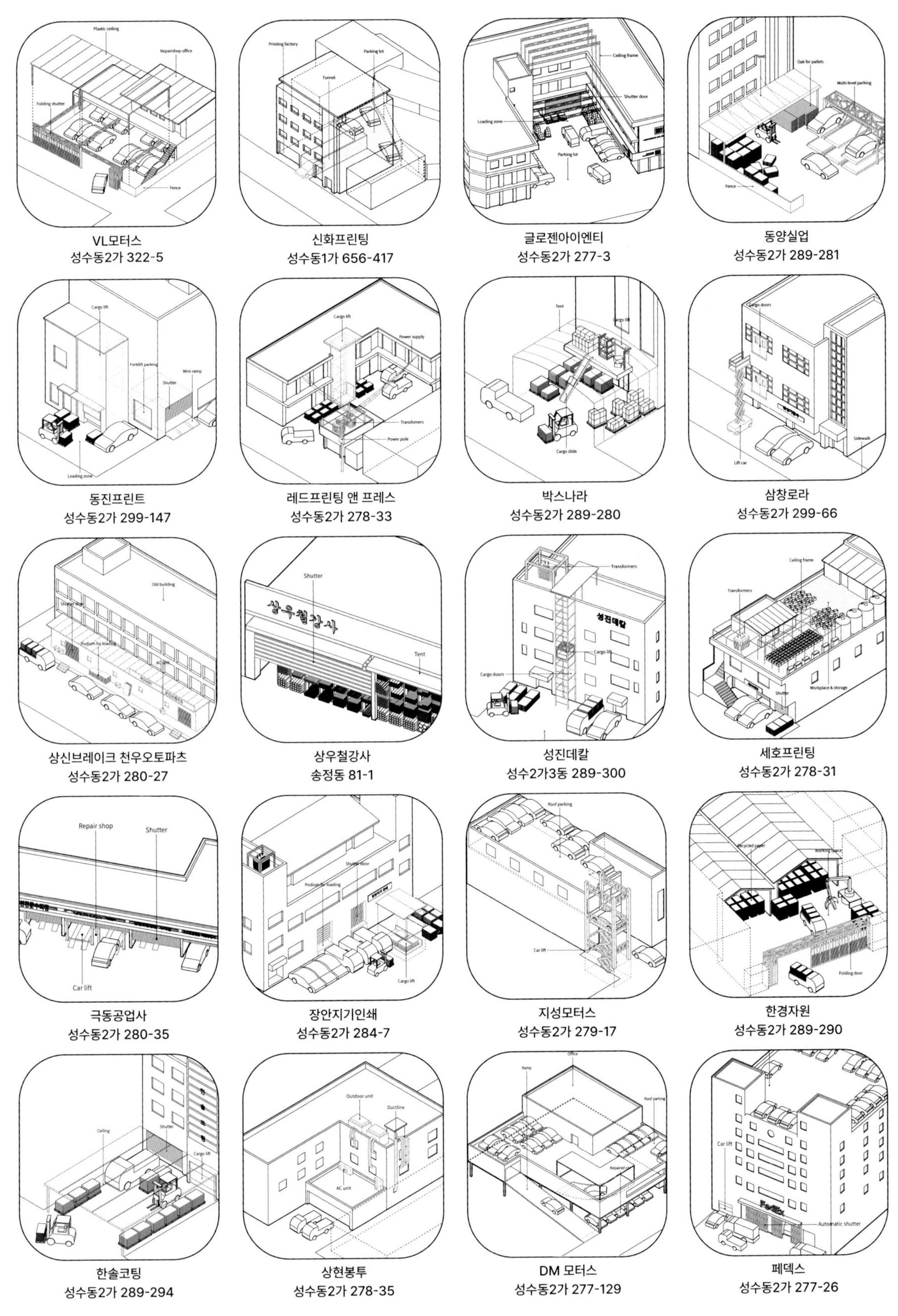

VL모터스
성수동2가 322-5

신화프린팅
성수동1가 656-417

글로젠아이엔티
성수동2가 277-3

동양실업
성수동2가 289-281

동진프린트
성수동2가 299-147

레드프린팅 앤 프레스
성수동2가 278-33

박스나라
성수동2가 289-280

삼창로라
성수동2가 299-66

상신브레이크 천우오토파츠
성수동2가 280-27

상우철강사
송정동 81-1

성진데칼
성수2가3동 289-300

세호프린팅
성수동2가 278-31

극동공업사
성수동2가 280-35

장안지기인쇄
성수동2가 284-7

지성모터스
성수동2가 279-17

한경자원
성수동2가 289-290

한솔코팅
성수동2가 289-294

상현봉투
성수동2가 278-35

DM 모터스
성수동2가 277-129

페덱스
성수동2가 277-26

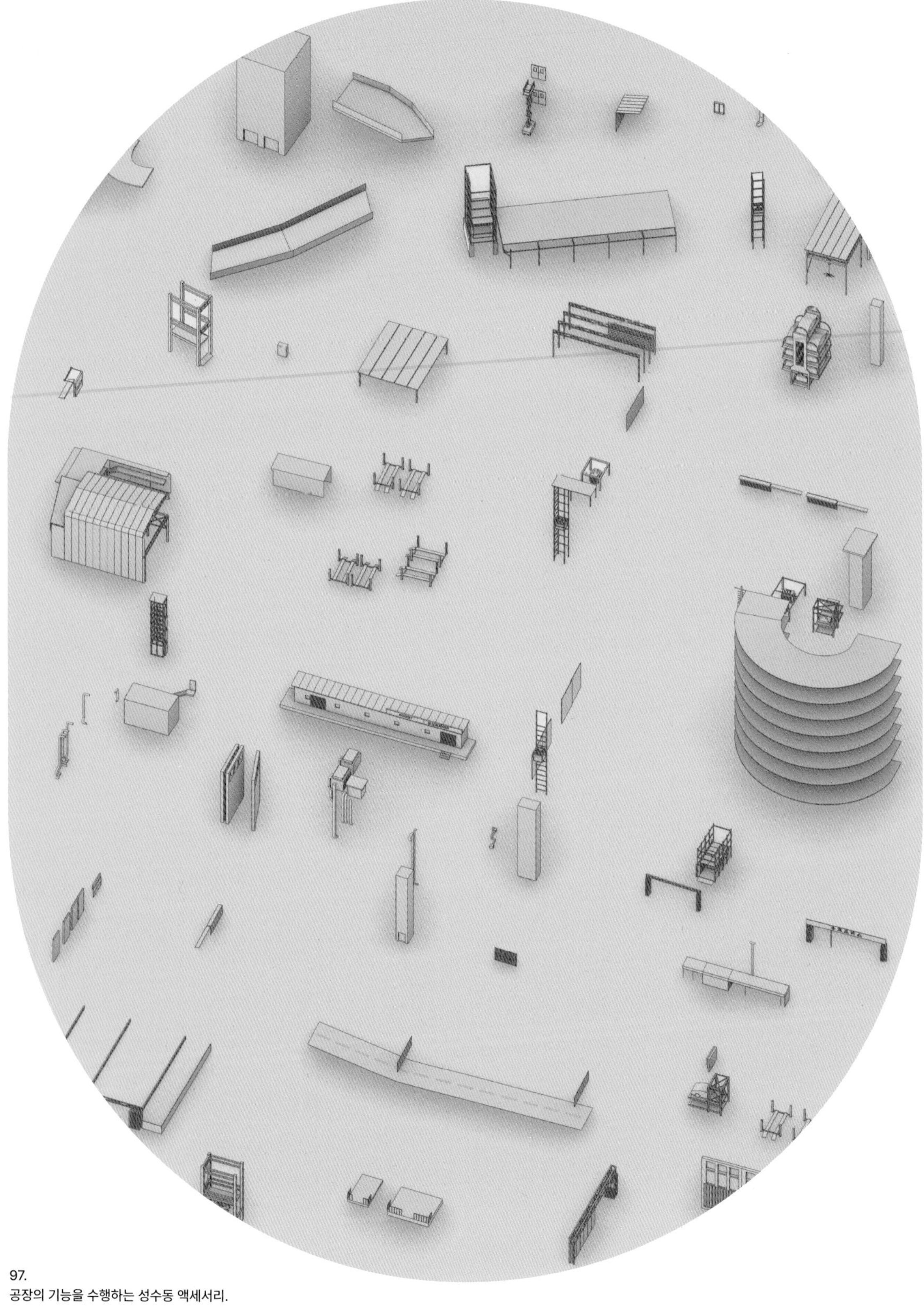

97.
공장의 기능을 수행하는 성수동 액세서리.

24. Loose Accessories for a Tight Urbanity [Seoul]

지난 몇 년간의 팬데믹은 글로벌 물류망을 붕괴시켰고, 우리를 개인의 공간에 가두어 놨으며, 공공공간에서는 거리를 두도록 했다. 집은 더 이상 잠자리만 제공하는 곳이 아니라, 업무공간을 제공하는 곳이 되어야 했으며, 불확실한 물류 시스템은 지역 생산과 지역 소비를 촉진시키고 있다. 이러한 현상은 건축가에게 또 하나의 질문을 던진다. 어떻게 건축이 유동적으로 다양한 기능을 담을 수 있게 하여 건축의 범위 안에서 도시 스케일의 기능을 수행할 수 있게 할 것인가 하는 질문이다. 건축 구축의 시스템은 매우 일반적일 수 있다. 기능과 상관없이 하나의 박스로 존재할 수도 있다는 말이다. 하지만 이 박스에 새로운 요소들이 덧붙여지면서 이 일반적인 박스는 특별한 기능을 갖춘 건축이 된다.

서울의 성수동에서는 도시에서 볼 수 있는 거의 모든 기능을 볼 수 있다. 주거와 상업, 업무시설은 물론이고, 생산공장, 종교시설, 문화시설 등도 함께 나타난다. 그러나 이 다양한 기능이 모두 다양한 방식의 건축 시스템을 갖고 있지는 않다. 오히려 엇비슷해 보이는 벽돌과 콘크리트로 구축된 건축이지만, 여러 액세서리의 요소가 덧입혀지면서 이들은 각자의 기능을 수행한다. 그리고 이러한 방식의 건축은 시기에 따라, 유행에 따라, 그리고 이번처럼 갑작스러운 팬데믹과 같은 새로운 상황에 따라 더욱더 유동적으로 대처할 수 있는 장점을 갖고 있으며, 이는 우리의 구축 환경을 더욱더 긴밀하게 만들 것이다.

Making Tight는 포스트 코로나 시대 도시를 위한 새로운 도시-건축 유형을 탐구하는 국제 전시와 심포지엄이다. 호주의 멜버른과 브리즈번, 그리고 한국의 서울에서 진행된 이 프로젝트는 도시-건축을 더욱더 긴밀하게 사용하는 다양한 방식을 모색했다.

98-99.
Making Tight Exhibition
Melbourne, Austalia

Making Tight is a design exhibition and symposium exploring design prototypes for post-Covid urban density. The pandemic has highlighted the importance of closely connecting living, making and recreation.
The project explores new models of urban density in which production, agriculture, education, recreation and living are integrated into tight communities. It will include design works (physical artefacts & projections) from architects, designers and urbanists from Australia and abroad, examining three cities - Melbourne, Brisbane and Seoul, at different scales.

100-103.
2019년 서울도시건축 비엔날레 당시
돈의문 박물관 마을 외부 공간에 기획된
전시 중 일부 전경. 사진제공 : 진효숙

25. Accessories as Exhibition Platform

액세서리는 도시에 활력을 불어넣는 요소가 될 수 있다. 2019년 서울도시건축 비엔날레의 도시전은 돈의문 박물관 마을에서 이루어졌는데, 당시 이곳은 '유령마을'이라는 오명을 갖고 있었다. 이곳에서 도시전을 기획하며, 여러 외부 전시도 함께 기획했는데, 이때 우리의 도시에서 흔히 볼 수 있는 액세서리를 활용하여 전시하는 방식을 취했다.

단순히 전시 콘텐츠가 스크린이나 보드 등을 통해 보이는 것에 국한되는 것이 아니라, 우리 도시에서 발견되는 돌출간판, 에어간판, 현수막, 가림막, 갈바파사드 등을 이용, 이들이 전시 콘텐츠를 담는 플랫폼으로 활용될 수 있도록 했다. 박물관을 만들기 위해 '깨끗이' 단장되었던 마을은 비엔날레 기간 동안에 다시금 '난잡한' 마을이 되었다. 하지만 이것이 우리 도시가 갖고 있는 현상적 DNA라 생각하며, 또 돈의문 박물관 마을에서만 일어날 수 있는 방식의 전시라는 믿음이 있었다.

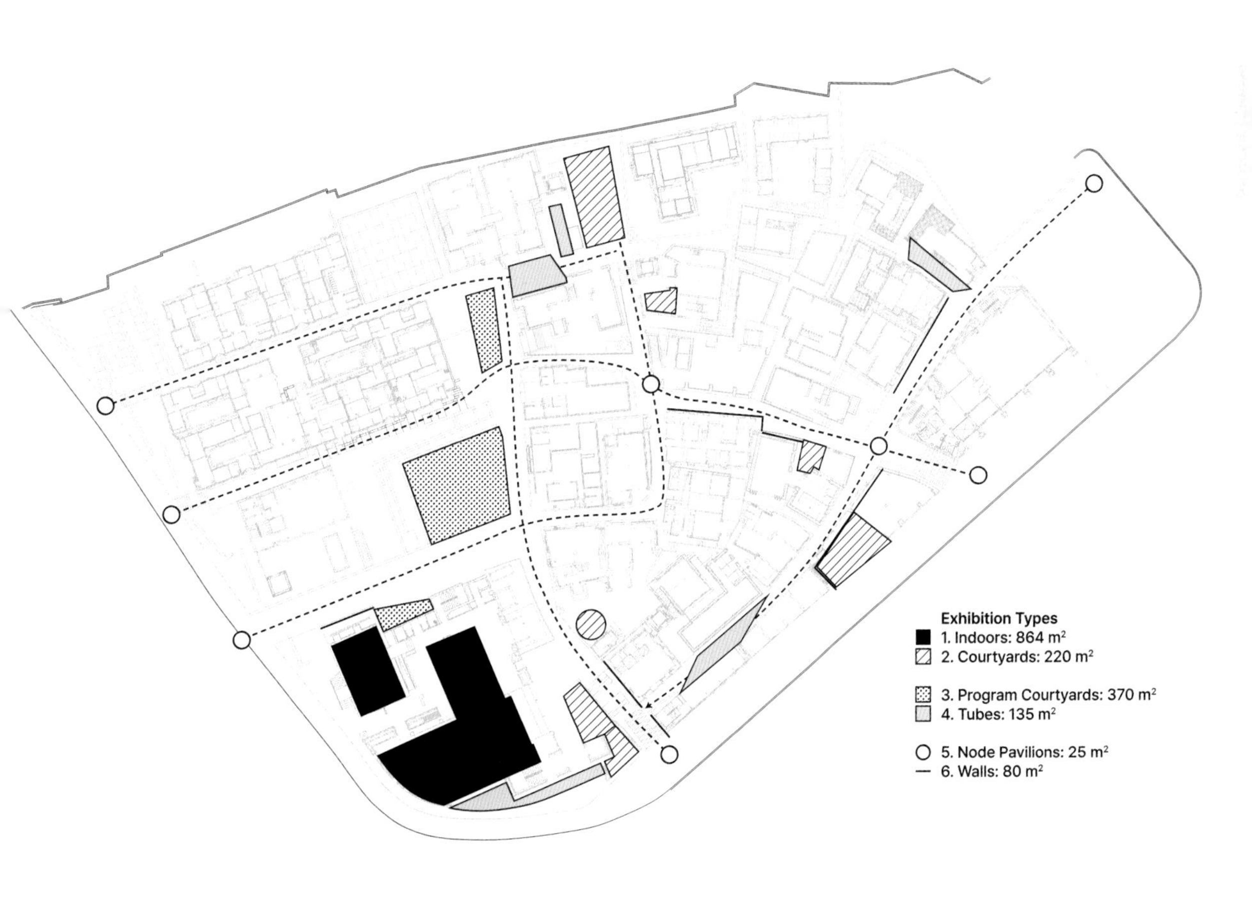

26. Mobile Accessories

액세서리의 끝판왕은 무엇일까. 이미 Portable, Detachable의 키워드는 언급되었고, 액세서리 자체가 건축이 되는 것 역시 상상해 보았다. 그런데 만약, 액세서리 그 자체가 건축이면서 portable 하다면? 자율 주행 자동차는 이제 더 이상 논쟁의 여지가 없는 가까운 미래의 모습이다. 그런데 이것을 자동차라는 이동 수단이 아니라 하나의 공간을 제공하는 플랫폼이라고 생각하면, 이 자율 주행 공간(Autonomous Mobile Space)이 건축과 결합하는 것은 쉽게 상상해 볼 수 있다. 이미 지금도 지게차가 리프트를 통해 3층으로 올라가 팔레트를 실어 내려오는 것은 쉽게 볼 수 있다. 이러한 시스템이 발전해서 지게차가 아니라, 내가 타고 있는 공간(AMS)이 리프트를 통해 건물로 올라가 상부층의 필요한 공간에 플러그인(plug-in) 되는 것은 그다지 어려운 상상이 아닐 것이다. 아마도 미래에는 이러한 방식의 플러그인 앤 아웃(plug-in and out) 되는 액세서리들이 건축의 한 부분을 차지하지 않을까?

104-109.
자율 주행 기술의 발전은 건물에 플러그인될 수 있는 자율 주행 공간의 가능성도 함께 만들어준다. 건물에 종속되지 않는 이 공간은 액세서리로 이해될 수도 있을 것이다.

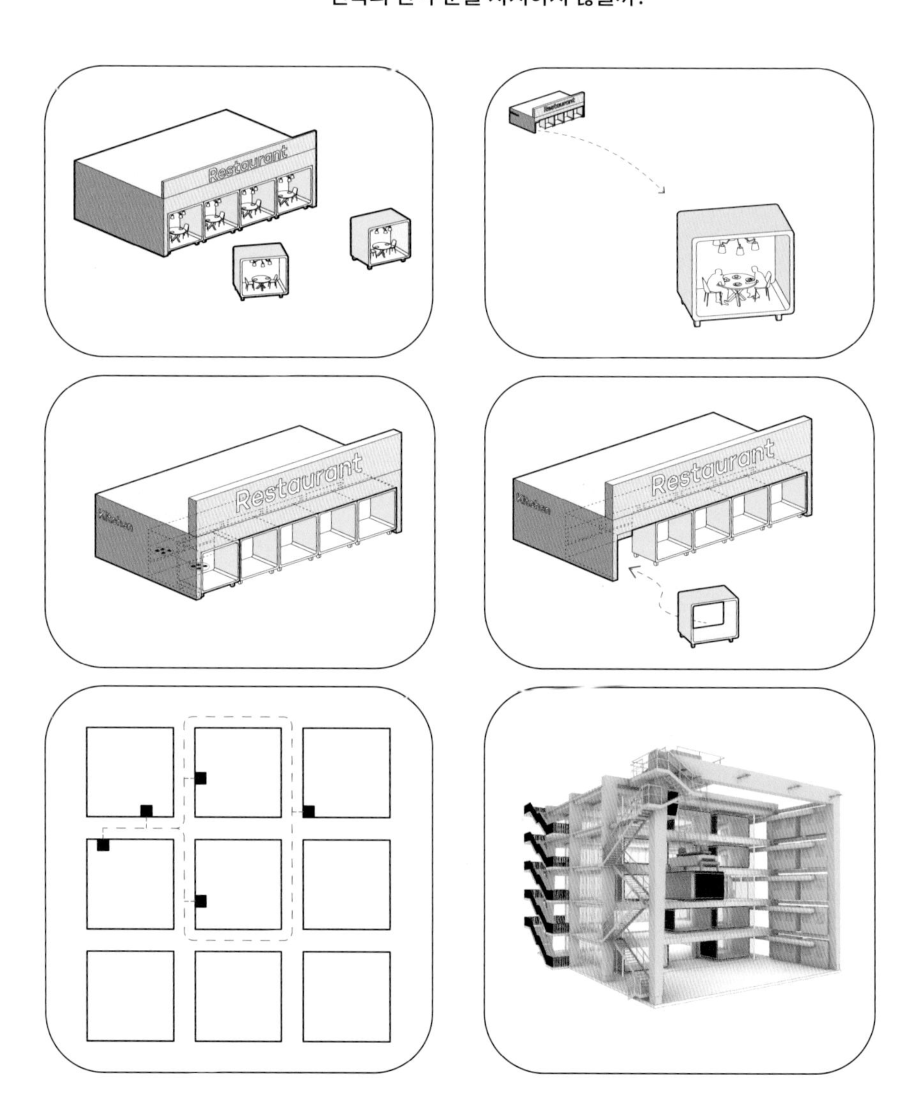

110-112.
Half-space. 자율 주행 공간과 건축의 공간이 결합되어 하나의 공간을 만들 수 있다. 그렇다면 건축은 지금보다 절반의 공간만 제공해도 되지 않을까. 나머지 절반은 새로운 모바일 액세서리인 자율 주행 공간이 제공할 것이다.

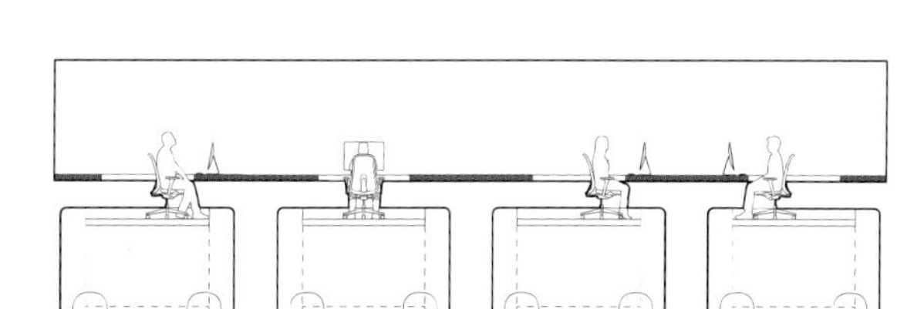

113-114.
자율 주행 공간이 결합되는 방식.

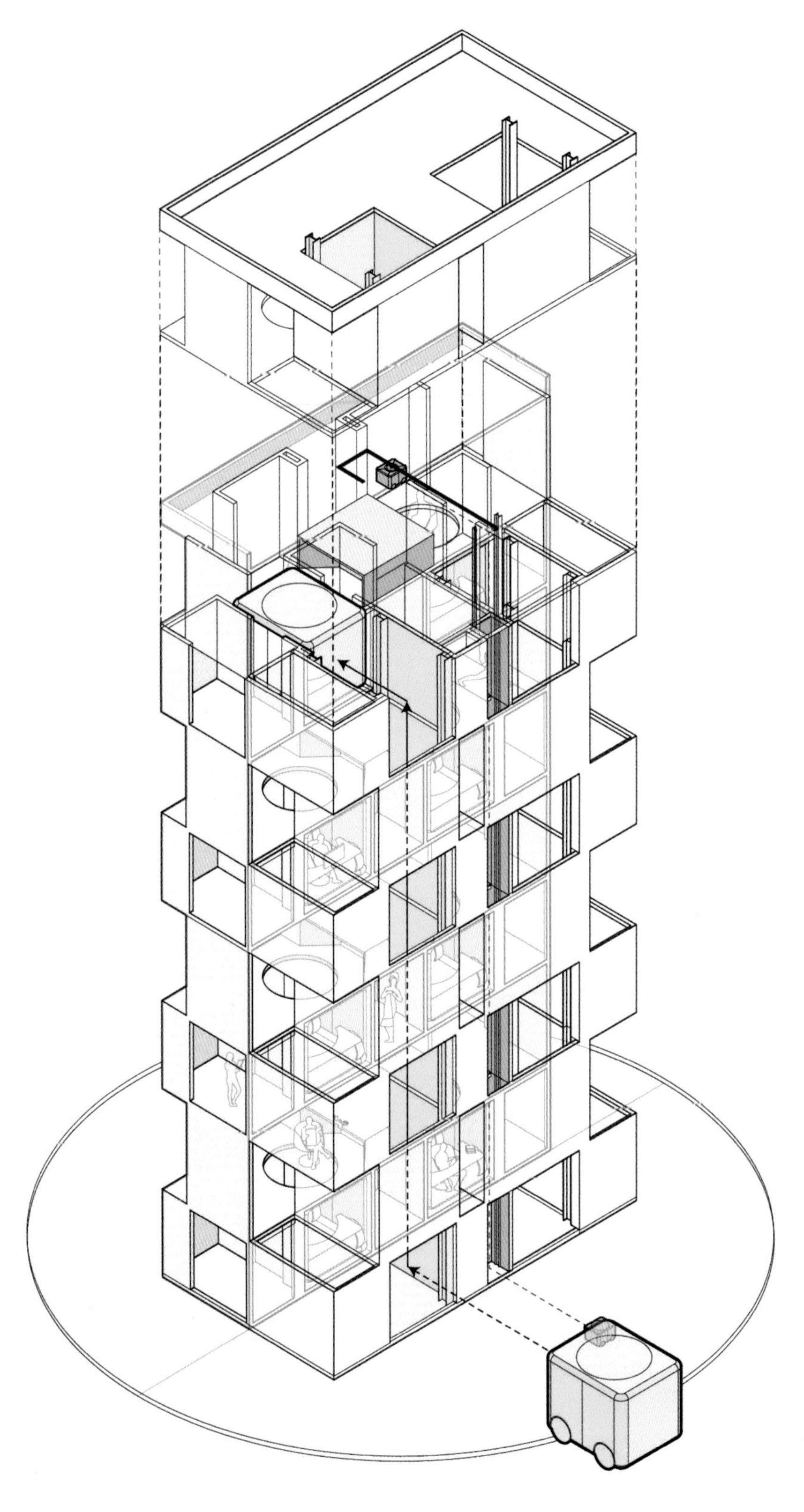

115.
공간 자체가 액세서리가 되는 순간.
건축의 본질은 바뀔 수밖에 없다.

116.
자율 주행 자동차와 건축이 만나는 경험.
자동차는 건물의 플러그 인 액세서리가
된다. ('What is To be Asked' 전시.
서울도시건축전시관, 2020년)

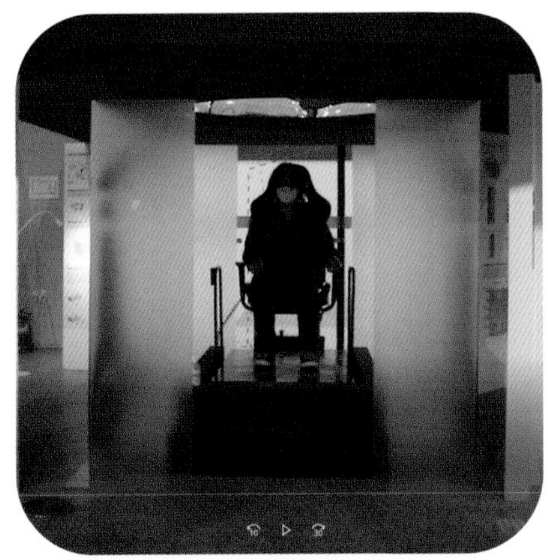

117-120.
건물에 플러그인 될 수 있는
액세서리로서의 자율 주행 공간.
자율 주행 자동차의 시트는 유압식
장치를 통해 건물 안으로 이동할 수
있도록 디자인된다.

What makes the urban scene?

도시의 변화를 받아들이고 시민의 욕구에 적극적으로 반응하는 요소는 도시를 활력 있게 만들고 도시에 지속적인 생명력을 불어 넣는다.

그리고 종종 건축의 액세서리로서 출현한다.

solar panels
antenna
window
balcony
church turret
stairs
water tank
bbq ducts
EE
김家네
노래방
extension
micro
store-front
advertisement
cctv
fake facade

crane
overhead door
lift

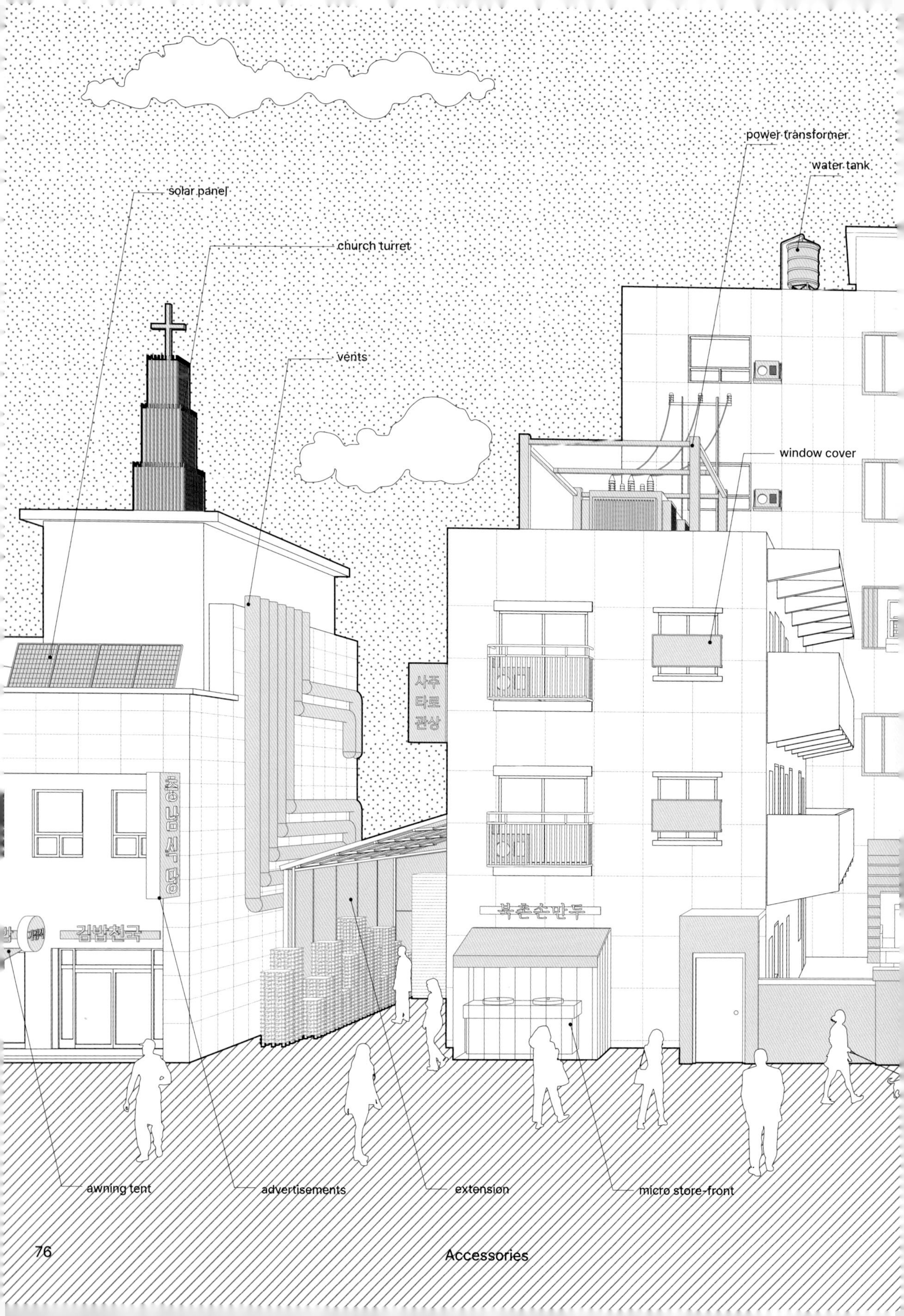
power transformer
water tank
solar panel
church turret
vents
window cover
사주
타로
관상
충남식당
김밥천국
북촌손만두
awning tent
advertisements
extension
micro store-front

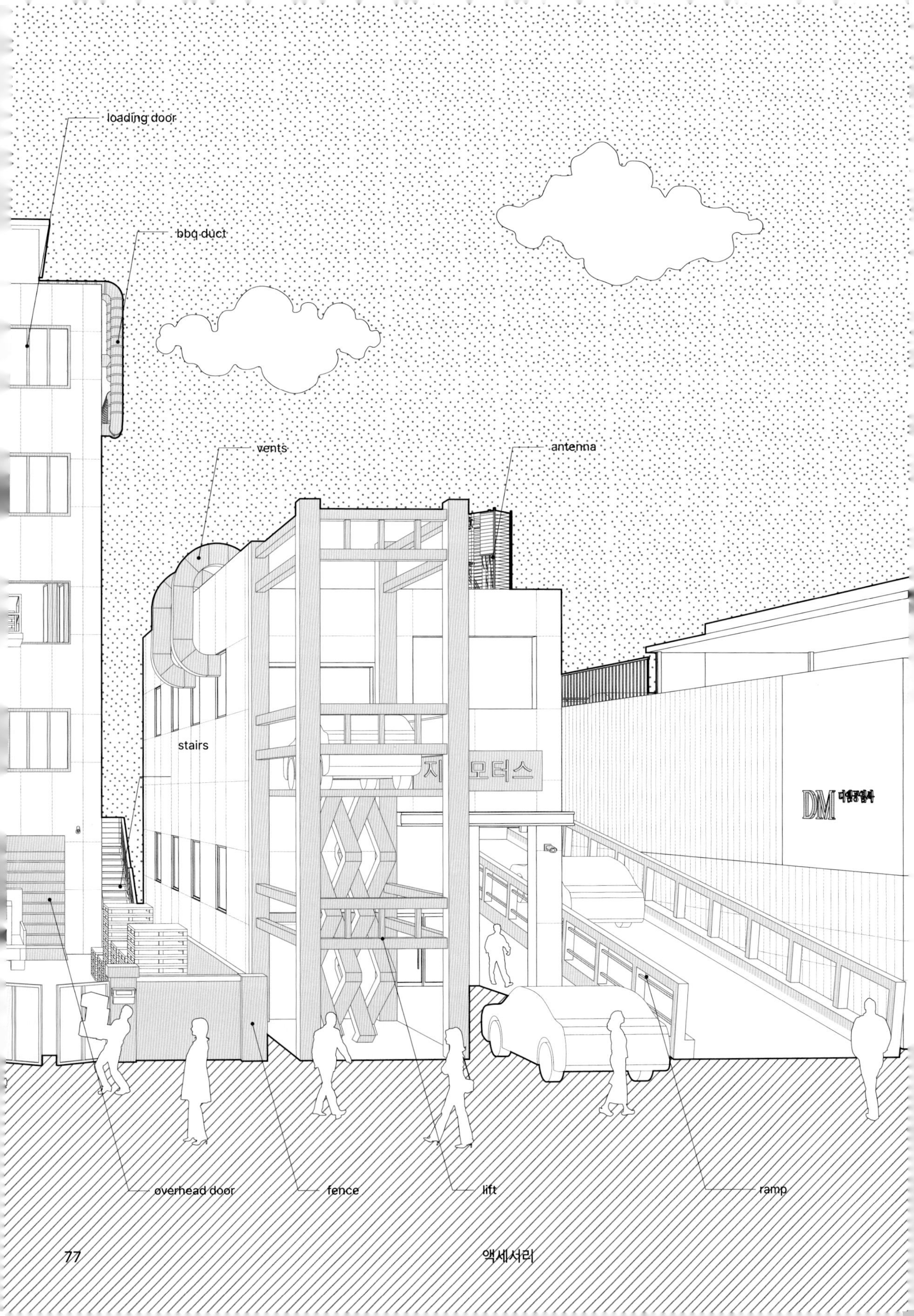
loading door
bbq duct
vents
antenna
stairs
지 모터스
DM
overhead door
fence
lift
ramp

Epilogue

지금은 편집동인이라는 타이틀로 다섯 팀이 '티키타카' 프로젝트를 위해 줌 미팅을 시작한 것은 2020년 11월이다. 그로 부터 1년이 훌쩍 넘는 시간 동안 2주마다 한 번씩 화상회의를 진행하며 여기까지 왔다. 팬데믹이라는 상황이 오히려 서울, 뉴욕, 하와이 등에 흩어져 있던 이들을 한 데 모으는 데 도움이 된 것도 없지 않나. 직접 만나는 것보다 온라인으로 만나는 것이 익숙해진 덕분에 1년이 넘게 지속적으로 할 수 있었기 때문이다.

티키타카 프로젝트를 기획하면서 한국 건축계에 좀 더 다양한 목소리와 관점을 보여주자고 함께 얘기했다. 어떻게 보면 '이것도 건축이다'라고 이야기하려는 것이 티키타카 프로젝트의 출발이었다. 건물을 짓는 행위는 건축에서 가장 핵심적인 가치이자 중심이다. 하지만 그것만이 건축의 전부일까? 다양한 유형의 건축이 존재함을 티키타카를 통해 보여주고자 한다.

최근 학생들은 주저 없이 '탈건'을 이야기한다. 사실 예나 지금이나 탈건은 늘 있어왔다. 그런데 자세히 들어보면 탈건은 탈설계에 가깝다. 학교에서는 항상 '건축 =설계'라는 공식만 배워왔기에, 설계에 흥미를 잃은 (혹은 부정적인 인식을 갖게 된) 학생들은 당연하게 탈건한다. 건축이라는 한자어의 한계가 우리 의식을 지배하고 있는지도 모른다. 하지만 건축은 설계 이상의 영역이고 의미가 있다. 일본에서도 건축의 어원인 Architéktōn에 가까운 '원술'이라는 단어를 쓰자고 주장하는 사람들이 생겨난다고 한다. 건축이 건물을 짓는 행위 이상이라 생각하기 때문이다.

결국 티키타카 프로젝트의 액세서리 편을 준비하면서 우리가 찍은 방점도 사실 건축이 아닌 건축에 있었다. 건축 액세서리가 일반적으로 규정하는 건축 요소의 범주를 넘어서 그 의미를 확장하듯, 리서치와 출판을 통해 '건축=설계'라는 통념을 벗어 더 다양한 이야기들을 포용하고 싶은 것이다. 아울러 이러한 울림이 티키타카 프로젝트를 통해 지속적으로 퍼져나가길 바라본다.

PRAUD는 2010년 보스톤에서 임동우와 라파엘 루나에 의해 처음 설립되었으며, 이후 2017년 서울로 그 근거지를 옮겼다. 설립 초기부터, 건축가의 역할 범위를 확장하는 데에 관심을 두고 건축, 도시, 디자인 등 다양한 분야에서의 리서치를 수행해왔다. PRAUD는 여전히 건축가의 역할이 하나의 건물을 디자인하는 데 국한되기 보다는, 교육을 하고, 책을 쓰고, 기획을 하고, 큐레이팅을 하며, 때로는 미래에 대한 목소리를 내는 것이 모두 포함된다고 본다. 결과적으로 PRAUD의 작업들은 이러한 다양한 활동들 간의 접점을 통해서만 이해될 수 있다.

PRAUD의 작업들은 많은 출판과 전시에 소개되었다. 뉴욕의 MoMA, 베를린의 DNA Galerie, 베니스의 비엔날레 한국관, 서울도시건축전시관 등에서 전시된 바 있고 2013년 미국건축가연맹 젊은건축가상, 독일건축박물관상, 2014년 베니스비엔날레 한국관 참여작가로서 황금사자상을 수상하였다. 또한 임동우와 라파엘 루나는 2019년 서울 도시건축 비엔날레 도시전 큐레이터였으며, AD Magazine 'Production Urbanism' 이슈의 게스트 에디터이다.

우리의 생각

흔히 '건물을 짓는다'라는 제한된 의미로 건축을 정의하곤 하지만, 사실 건축가들은 다양한 방식으로 독자적인 이야기를 짓는다. 글을 쓰기도 하고, 전시를 기획하기도 하며, 다양한 리서치를 수행하기도 한다. 그리고 새로운 제품을 디자인하기도, 또 만들어 내기도 한다. 이 모든 것을 건축가들이 하는 건축 행위라 볼 수 있다.

티키타카는 건물을 짓는 행위를 넘어 건축가들이 다양한 방식으로 이야기를 만들어 나아가는 과정에 주목한다. 건축 작품이나 그에 대한 비평이 아닌, 건축가의 생각, 작업, 과정 등을 경쾌한 방식으로 다루며 대중과 소통하고자 한다. 나아가 건축의 외연을 확장하고 담론을 생성하며, 다양한 분야와의 협업과 소통을 열어갈 것이다.

— 티키타카는 새롭고 다양한 건축담론 플랫폼을 실험한다
— 티키타카는 일방향이 아닌 다방향의 대화를 생성한다
— 티키타카는 책장 안에 갇힌 이론이 아닌 열린 소통을 통한 건축 담론을 실험한다
— 티키타카는 건축이 건물 설계 이상의 행위임을 인식하고 새로운 건축의 이야기를 만들어 나간다
— 티키타카는 건축의 외연을 확장하고 다양한 분야와의 협력을 모색한다
— 티키타카는 배우는 자세로 다양한 건축사고의 확장을 모색한다

강이룬, 강정예, 김동세, 임동우, 전진홍, 최윤희 씀

Our Thinking

Most often, the practice of architecture is limited as to making buildings. However, architects tell their unique stories in multiple ways. They write, curate exhibitions, and conduct a wide range of research; moreover, architects also design and make new products. We can consider all of these activities as architectural acts.

Tiki-taka focuses on architects' diverse methods and processes beyond the making of buildings. It further focuses on engaging the public through exploring architects' thinking, projects, and processes, beyond critiquing architecture. Moreover, Tiki-taka aims to produce and expand architectural discussions by collaborating and interacting with a wide range of disciplines.

— Tiki-taka experiments with new and diverse architectural discourses
— Tiki-taka seeks to generate multi-directional conversations
— Tiki-taka explores new architectural discussions through open dialogues
— Tiki-taka recognizes architecture beyond building architecture and creates new architectural narratives
— Tiki-taka endeavours to produce and expand architectural discussions and collaborate with a wide range of disciplines
— Tiki-taka aspires to expand the diverse architectural thinking with a learning mindset

Written by E Roon Kang, Dongsei Kim, Dongwoo Yim, Jeongye Kang, Jinhong Jeon, Yunhee Choi

액세서리

지은이 프라우드 (임동우, 라파엘 루나)

프라우드 리서치 팀
백홍선, 이서호, 나경준, 이승준, 박하은, 김정윤,
이정석, 문채영, Greg Monroe

초판 1쇄 발행일 2022년 12월 28일

펴낸이 강정예
펴낸곳 정예씨 출판사
주소 서울시 마포구 월드컵로29길 97
전화 070-4067-8952 팩스 02-6499-3373
이메일 book.jeongye@gmail.com

프레임워크 강이룬 서체 지원 프리텐다드(길형진)
제작 영림인쇄

ISBN 979-11-86058-32-9
ISBN 979-11-86058-26-8 (SET)

Accessories
by PRAUD

Printed in Republic of Korea.

1.
왜 한국에는 건축과 도시 현상을 이해하고
분석한 책이 상대적으로 적을까?

프로젝트 티키타카를 시작하는 질문

2.
건축담론을 생산하는 학교
혹은 미디어는 어디일까?

3.
건물은 무엇일까? 건축허가를 받아야 하는
건물을 의미할까? 세빛둥둥섬은 선박허가를
받았다고 한다.

4.
건축교육 인증 시스템이 각자의
색깔을 가질 수 있는 기회를
빼앗아버린 것은 아닐까?

5.
설계 스튜디오의 좋은 선생이란
무엇일까? 실무지식으로 무장하여
학생들에게 그 지식을 강요하는
것 만큼이나 폭력적인 건축교육은
없을 것이다.

6.
젊은 건축가상의 지원 조건이 준공작일 필요가 있을까?
건축가 스스로 건축가를 건물 설계하는사람으로 한정하고
있는 것은 아닐까?

7.
탈건일까, 탈설계일까?
설계는 건축의 극히 일부분에
지나지 않는다.

8.
몇 만, 몇 십만 팔로워가 따르는 건축 관련
SNS 계정들을 보면, 건축이 (즉흥적으로)
소비되는 시대가 맞긴 맞나보다.
건축문화와 건축교육은 어떻게 확장되어야
할까?